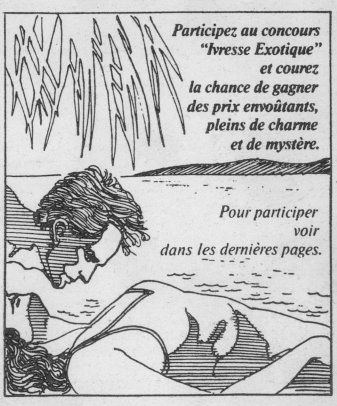

REBECCA FLANDERS

Mon sorcier
bien aimé...

HARLEQUIN

*Cet ouvrage a été publié en langue anglaise
sous le titre :*

MINOR MIRACLES

Publié originellement par
Harlequin Books, Toronto, Canada

© 1986, Donna Ball Inc
© 1987, traduction française : Edimail S.A.
48, avenue Victor-Hugo, Paris XVIe - Tél. 45.00.65.00
ISBN 2-280-09127-5
ISSN 0291-4018

Chapitre 1

Leslie Roarke était assise dans un petit bureau, immobile, toute son attention concentrée sur l'homme, de l'autre côté du miroir sans tain. Auprès d'elle, ses deux collègues lui lançaient de temps à autre des regards interrogateurs, mais elle refusait de se laisser distraire. Elle était comme hypnotisée. Pas tant par ce qu'elle voyait, d'ailleurs, que par ce qu'elle craignait de manquer si d'aventure elle détournait les yeux.

Il s'appelait Michaël Bradshaw. Agé de trente-six ans, il paraissait beaucoup moins et à vrai dire, tout en lui surprenait. A commencer par le subtil camaïeu de brun et d'or qu'il représentait : d'épais cheveux couleur de blés mûrs, balayés de reflets dorés et coiffés à la diable ; des sourcils légèrement plus foncés ; un visage bronzé. Un beau visage sans rides, aux traits bien dessinés, à la fois ouvert, sensible et impénétrable. Impossible à décrire, en fait ; impossible aussi à oublier.

Ses yeux étaient particulièrement insolites, de la plus surprenante teinte que Leslie ait jamais vue chez un être humain : topaze. Et cette nuance si inhabituelle l'amenait malgré elle à comparer Michaël Bradshaw à un félin. Un chat, dont la beauté attirait les caresses mais dont les pouvoirs incitaient à la prudence. Aussi déterminée qu'elle fût à le considérer sous un jour strictement professionnel, elle ne pouvait s'empêcher d'éprouver une certaine gêne devant un physique aussi remarquable.

Depuis une heure, elle le regardait. A l'aide de la seule force de son psychisme, il avait fait fondre un solide anneau d'acier ; entre ses doigts, une petite cuiller s'était transformée en un amas métallique informe, l'eau d'un verre s'était mise à bouillir sans le secours d'aucune source de chaleur et un récepteur de téléphone dépourvu de fils de branchement à sonner.

Maintenant, il était assis devant une petite table, au centre de la pièce, les mains jointes sur le formica, les yeux fixés sur un récipient de verre hermétiquement clos posé devant lui. A l'intérieur : une ampoule électrique et une batterie. On aurait dit un montage exécuté pour un cours de physique dans une classe de n'importe quel collège. Avec une notable différence, toutefois : aucun conducteur ne reliait l'ampoule au générateur. Dans ces conditions — tous les élèves l'auraient dit, même les cancres — la lumière ne risquait pas de jaillir.

Depuis cinq minutes, rigoureusement immobile, Michaël semblait souder son regard au récipient. A peine si ses paupières battaient, à peine si le lent bruit de sa respiration était perceptible par l'intermédiare des micros placés dans la salle. L'intensité de sa concentration était telle que des gouttes de sueur perlaient sur son front. Leslie sentait la tension monter peu à peu dans son propre corps. Elle aurait voulu... Elle ne savait pas quoi, au juste. L'aider, sans doute. Mais c'était ridicule. L'attente devenait vraiment insupportable.

A la droite de la jeune femme, George murmura :

— Il est fatigué.

Malcolm, à sa gauche, s'agita nerveusement sur son siège de bois en acquiesçant de la tête avant d'ajouter :

— Il ne réussira pas, cette fois, j'en ai peur. Quand nous avons essayé, hier, il était en pleine forme, mais là... après une heure...

— Ses rythmes ? demanda George.

Malcolm chaussa ses lunettes à fine monture métallique et se pencha vers l'appareil électronique ultraperfectionné sur lequel divers points lumineux dessinaient des graphiques d'une infinie précision.

— Stables. Respiration : 12 ; pouls : 40.

Les deux hommes échangèrent un regard. Presque la moitié de la normale !

Sans quitter Michaël des yeux, Leslie observa :

— Nous allons arrêter. Son rythme respiratoire s'abaisse encore on dirait, non ?

— A peine. Il reste dans des limites acceptables. Pour nous, évidemment. En dehors de cette pièce, personne n'accepterait de croire qu'un homme puisse ralentir ses fonctions vitales à ce point et rester conscient.

— Et risquer la crise cardiaque, remarqua Leslie

d'un ton sec. Ce n'est pas le but de l'expérience. Oh !... Regardez !

— Bon sang ! s'exclama George.

A l'intérieur du récipient de verre hermétiquement fermé, le filament de la lampe commençait à briller timidement. Retenant son souffle, Leslie avança inconsciemment la tête vers la glace sans tain. Les mains de Michaël se crispaient l'une contre l'autre ; les muscles de ses bras tremblaient sous la violence de l'effort. La petite lumière vacilla une fraction de seconde puis éclaira à nouveau. Impossible !... Et pourtant incontestable ! Michaël Bradshaw venait de réaliser un véritable prodige.

Le visage baigné de sueur, il continuait à fixer intensément l'ampoule — à l'hypnotiser en quelque sorte. Et la lumière devint éclatante, étincelante, éblouissante. Ses yeux couleur de miel chatoyèrent, comme parsemés d'éclats d'or. Et puis, tout à coup, ayant atteint le paroxysme de la concentration, il prit une profonde inspiration et se détendit. La clarté disparut aussitôt. Alors il s'affaissa sur sa chaise, épuisé.

Un instant frappé de stupeur, Malcolm se reprit. Il se pencha vers les points lumineux qui n'avaient pas cessé de tracer leurs graphiques respectifs sur l'écran. Toutefois, il semblait avoir perdu l'usage de la parole et ne put que répondre sur un signe de tête au regard anxieux de Leslie. Momentanément privé du dynamisme qui le caractérisait, George lui-même murmura d'une voix faible, en détachant les syllabes :

— In...croy...able.

Et les trois scientifiques restaient assis dans la petite pièce, le regard rivé à l'homme aux pouvoirs paranormaux qui récupérait lentement de l'autre côté du miroir, tentant chacun à leur manière de concilier leur esprit scientifique et ce qu'ils venaient de constater de leurs propres yeux.

Jeune psychiatre aux idées larges, Leslie portait un grand intérêt à l'exploration de l' « inexliqué » : le paranormal — ou le surnaturel — elle ne l'écartait pas d'emblée. Elle le considérait comme une extension des mystères recélés par le psychisme humain. Mystères qu'elle s'efforçait passionnément d'éclaircir.

Néanmoins, la caractéristique fondamentale d'un scientifique étant le scepticisme, elle ne se laissait pas facilement impressionner. A cet instant, elle ne partageait pas l'enthousiasme qui s'emparait de ses deux collègues. Certes, Michaël Bradshaw était un cas exceptionnel, elle ne songeait pas à le nier. Un cas exceptionnel mais en même temps un simple puzzle dont ses doigts habiles ne tarderaient pas à assembler les pièces. Elle était déjà parvenue à relever ce genre de défi. Alors, pourquoi diable sentait-elle ses genoux si faibles tandis qu'elle se levait ?

— Eh bien... dit-elle.

Elle dut toussoter pour s'éclaircir la voix.

— ... je prends deux semaines de vacances et pendant ce temps vous découvrez ce type. Bravo ! Il est assez... extraordinaire, je le reconnais.

George s'agitait sur sa chaise ; ses yeux bleu pâle

étincelaient. Avec ses cheveux couleur carotte et son visage rouge d'excitation, il semblait avoir pris feu.

— Je te l'avais dit ! Extraordinaire, c'est le mot. A côté de lui, les jumeaux Gaynor font figure de modestes amateurs. J'irai même jusqu'à penser que nous tenons là l'événement le plus important pour le Centre depuis sa création. Et tu n'as pas tout vu. Il a subi des tas de tests toute la semaine : ses pouvoirs sont pratiquement sans limites. C'est incroyable. Absolument incroyble ! Tu vas voir quel bond en avant nous allons accomplir grâce à lui.

Dans la pièce contiguë, Michaël se reposait, la tête posée sur ses bras repliés. Il semblait dormir.

— Humm, se contenta de répondre Leslie.

Elle répugnait à refroidir brutalement l'enthousiasme de George, aussi lui adressa-t-elle un rapide sourire avant de détourner son visage où ses pensées n'auraient pas manqué d'apparaître. Un « bond en avant », évidemment, cela arrangerait bien leurs affaires. Toutefois, elle n'était pas prête à considérer cet homme comme la solution de tous leurs problèmes. Pas encore.

— Fonctions vitales normales, annonça Malcolm en se laissant aller contre le dossier de sa chaise avec un grand soupir de soulagement.

Il ôta ses lunettes et passa un doigt sur la base de son nez, hochant doucement la tête.

— Je n'ai jamais rien vu de tel.

— Humm, fit à nouveau Leslie dont le scepticisme se dissimulait derrière un ton rêveur. Presque trop beau pour être vrai, non ?

A cet instant, Michaël Bradshaw leva la tête. Il

paraissait totalement détendu et reposé. Il se tourna vers le miroir et un moment, Leslie eut la nette impression que les yeux topaze la regardaient. Il avait deviné que quelqu'un l'observait derrière la glace, naturellement ; à sa place, n'importe qui serait arrivé à la même conclusion. Mais il lui était absolument impossible de distinguer ce « quelqu'un ». Cependant... L'intuition de Leslie se confirma quand le jeune homme lui adressa un sourire charmant, à la fois ingénu et satisfait — comme un enfant fier de ses prouesses. Sans la quitter des yeux, il s'étira, les mains jointes au-dessus de sa tête, puis, avec impudence, lui adressa un clin d'œil et quitta sa chaise.

Malcolm se hâta vers la porte pour libérer leur prisonnier volontaire tandis que Leslie se détournait rapidement, les sourcils froncés. Mais non, enfin, c'était ridicule : il ne *pouvait* pas l'avoir vue ; et ce qui venait de se passer entre eux n'était *pas* l'ébauche d'un flirt. Pas du tout.

— Alors ? interrogea George avec passion. Qu'en penses-tu ? Tu n'as pas dit un mot. C'est fantastique, non ? Imagine tout ce que nous allons appprendre grâce à lui. Nous possédons là, résumée en un seul homme, matière à recherches pour des années. Alors, insista-t-il, ton avis ?

Leslie eut un petit rire forcé.

— Mais George, tu n'interroges pas la bonne personne. Je suis psychiatre avant tout, ne l'oublie pas, répondit-elle prudemment. La parapsychologie est secondaire pour moi.

— Qu'est-ce que tu me chantes là ? répliqua-t-il

gentiment en haussant les épaules. Pendant les cinq dernières années, tu as consacré au Centre plus de temps qu'aucun de nous. Et tu as passé plus d'heures ici qu'à ton respectable hôpital. Allez, je t'en prie, réponds-moi. Je ne te demande pas une opinion personnelle, seulement un avis professionnel.

Leslie lui sourit.

— Je suis incapable de te le donner avant d'avoir sondé cet homme, conviens-en.

Puis, constatant la déception de son collègue, elle ajouta :

— Mais ce que j'ai vu est très... impressionnant.

A cet instant, Malcolm revint dans la pièce.

— J'ai envoyé Michaël Bradshaw dans ton bureau, Leslie, annonça-t-il.

George ouvrit la bouche, mais avant qu'il ait pu intervenir, Leslie l'arrêta d'un signe de la main en promettant :

— On se retrouve à midi, d'accord ?

Elle s'empressa de rassembler ses notes et disparut dans le couloir.

Le Centre d'Etude des Phénomènes Paranormaux avait été fondé en 1952 — deux ans avant la naissance de Leslie — par son oncle, le docteur Albert Roarke. Il avait quitté ses éminentes fonctions à l'Université Duke pour ouvrir cette fondation privée. Dans cette famille de médecins et de scientifiques, il avait été alors considéré comme le mouton noir. « Le vieux fou » disait-on de lui avec condescendance ; et personne ne l'avait plus pris au sérieux. Leslie avait d'abord considéré les travaux du Centre d'un œil sceptique. Puis, peu à peu, ses études de médecine achevées, elle s'était senti des affinités avec le « vieux fou » en découvrant leur intérêt commun pour les questions sans réponses, pour l'inexpliqué. Le psychisme humain constituait pour lui comme pour elle un champ d'investigation illimité où satisfaire leur curiosité brûlante.

Après la mort de son oncle, Leslie offrit spontanément ses services pour continuer son œuvre. A présent, elle partageait son temps entre l'hôpital pour enfants inadaptés et le Centre. Au grand dam de ses parents qui auraient préféré — et de loin — la voir s'établir à titre libéral. Ils tentaient de se consoler de sa trahison en pensant qu'après tout, les gens qu'elle voyait là avaient bien besoin d'un bon psychiatre.

Ils ne se trompaient pas entièrement. En cinq ans de pratique, elle avait pu constater que la plupart de ceux qui se targuaient de pouvoirs paranormaux ou surnaturels souffraient en fait de psychoses plus ou moins graves. Les autres, les quelques cas non élucidés, elle les rangeait dans une catégorie à part : on n'avait pas encore découvert l'origine de leurs étranges pouvoirs, mais un jour viendrait où on cernerait l'inexpliqué.

Et Michaël Bradshaw ? Deviendrait-il, lui aussi, un « cas non élucidé » ? Le puzzle qu'il représentait ne serait pas aisé à reconstituer, elle le savait intuitivement. Tout en s'approchant de la porte de son bureau, elle se sentait étrangement nerveuse.

Elle s'arrêta un instant dans le couloir et prit une profonde inspiration avant de redresser machinalement le col de sa blouse blanche et de lisser ses souples cheveux blonds légèrement ondulés. Puis soudain, elle eut conscience de ces gestes féminins instinctifs et avec une petite grimace, se morigéna intérieurement. Allons, elle n'irait pas bien loin dans ses investigations si elle laissait M. Bradshaw deviner qu'il l'intimidait avant même leur première rencontre ! Et d'ailleurs, en quoi différait-il des dizaines de gens qu'elle avait sondés dans des circonstances analogues ? En rien. Ou si peu.

La main sur la poignée de la porte, elle pensa brièvement, et avec une pointe de nostalgie, aux Caraïbes où elle avait séjourné durant deux semaines puis, pointant le menton et redressant les épaules, elle s'efforça d'afficher une assurance tranquille qu'elle était loin de posséder et poussa le battant.

— Bonjour, dit-elle à l'homme confortablement installé sur le canapé. Je suis le docteur Roarke. Nous allons passer un moment ensemble, n'est-ce pas ?

Chapitre 2

Savourant à petites gorgées un grand verre de jus d'orange, Michaël examinait le décor éclectique du petit bureau. Probablement une femme d'âge mûr, ce docteur Roarke, décida-t-il. Peut-être même une grand-mère, à en juger par les photos placées sur la table. Il l'imaginait grassouillette, vive, enjouée, maternelle ; exactement le genre de personne à partager avec ses collègues les gâteaux confectionnés à la maison. Et elle devait aussi posséder un solide sens de l'humour. Décidément, il aurait plaisir à la rencontrer.

Quand la porte s'ouvrit, il eut beaucoup de peine à cacher sa surprise. « Seigneur ! Qu'elle est jeune ! » pensa-t-il, inexplicablement irrité. « Tellement jeune ! ».

Il se leva d'un bond et lui tendit la main avec un sourire à damner un saint.

— Je n'aurais pas pu trouver une meilleure façon d'occuper mon temps, affirma-t-il.

Leslie remarqua aussitôt la chaleur et la vitalité que ses longs doigts semblaient diffuser. Elle retira vivement les siens — un peu trop vivement — et comprit pourquoi la perspective de mener ses investigations l'avait rendue nerveuse. Michaël Bradshaw était l'un des hommes les plus séduisants et des plus énergiques qu'elle ait jamais rencontrés, et la sorte d'aura qui émanait de lui était faite de sensualité, pas de mysticisme. Dans ces conditions, sa tâche s'avérait diablement délicate !

La jeune femme passa derrière son bureau, puis s'affaira à empiler les dossiers, lettres et autres papiers qui l'encombraient. Les yeux couleur de miel, attentifs et amicaux, ne la quittaient pas.

— Voulez-vous m'excuser un instant, dit-elle. Je rentre juste de vacances...

— Je vous en prie.

Il attendit poliment qu'elle se fût assise pour reprendre sa place sur le canapé recouvert de tissu fleuri.

— Qui sont ces enfants ? demanda-t-il sans chercher à cacher sa curiosité.

Occupée à extraire un petit magnétophone portatif d'un tiroir, Leslie lui lança un regard surpris puis réalisa qu'il évoquait les photos.

— Quelques-uns de mes patients.

Comme il paraissait éberlué, elle expliqua en souriant :

— Je travaille aussi dans un hôpital pour enfants à problèmes.

— Ah ! fit-il d'un air compréhensif avant qu'une petite flamme malicieuse ne s'allume dans son regard. Les fantômes et les sorciers modernes ne seraient-ils plus passionnants ?

Le sourire de Leslie s'accentua presque malgré elle. Enfin un peu d'humour ! C'était si rare d'avoir affaire ici à quelqu'un qui ne se prenait pas au sérieux. Décidément, M. Bradshaw se singularisait...

— Je vais enregistrer notre conversation. Cela ne vous ennuie pas, j'espère ?

Il secoua négativement la tête.

— Pas du tout. Mais si j'étais vous, je prendrais des notes ; on ne sait jamais. D'autant que je déteste me répéter.

Tiens ! Où voulait-il en venir ? Leslie lui lança un coup d'œil méfiant mais il arborait un visage si fermé, si indéchiffrable, qu'elle fut incapable de deviner s'il plaisantait ou non. Poussée par son esprit scientifique, pragmatique, elle vérifia tout de même la bonne marche de l'appareil. Allons, tout allait bien, on entendait sa voix et celle de son précédent interlocuteur.

— Il semble fonctionner à merveille, plaisanta-t-elle.

Elle appuya sur la touche d'enregistrement.

— Considérez notre entretien comme une simple conversation. Nous allons évoquer votre vie : vos buts, vos ambitions, vos goûts, d'accord ?

— D'accord, accepta-t-il aussitôt.

Leslie observa le gracieux mouvement de son bras quand il saisit son verre de jus d'orange.

— Par quoi commençons-nous ? Mon enfance ? Mes rêves ? Ma vie sexuelle ?

« Eh bien, pensa Leslie, voilà qui débute plutôt mal ! » La femme en elle était prête à succomber au

charme du jeune homme tandis que la professionnelle pressentait les complications que ce charme
même allait apporter. Ah ! Si seulement le Centre
pouvait s'offrir les services d'un autre psychiatre.
Avec quel plaisir elle se serait déchargée sur lui du
« cas » Bradshaw !

— Inutile d'aller si loin dès aujourd'hui, observa-
t-elle d'un ton neutre. Parlons plutôt d'un sujet plus
pertinent.

— Pertinent ? Mais rien ne l'est davantage...

Une fois encore, une étincelle de malice palpita
dans son regard.

— ... vous n'avez pas lu Freud ?

Il se sentait un peu coupable de la taquiner à ce
point. Mais c'était sa manière à lui de se défendre
contre le sentiment confus qu'elle lui inspirait. Il la
trouvait si jeune, si sûre d'elle, si féminine...

— Mais si, assura-t-elle. En entier. Toutefois, j'ai
l'habitude de n'utiliser ses... théories qu'en dernier
ressort. Pour l'instant, j'aimerais simplement vous
connaître un peu mieux.

— A votre disposition, répliqua Michaël, un petit
sourire au coin des lèvres.

Sur son bloc-notes, Leslie écrivit : « sur la défensive, évasif ». Et elle aurait pu ajouter « terriblement charmeur » mais s'en abstint. Un instant, avec
un léger soupir de regret, elle se demanda pourquoi
les hommes attirants qu'elle rencontrait étaient
toujours ou bien des patients, ou bien ceux qui
auraient pu le devenir. Mais, évidemment, avec un
métier comme le sien, quelles étaient ses chances de

rencontrer des hommes stables et bien dans leur peau ?

— Quand avez-vous pris conscience de vos extraordinaires pouvoirs, monsieur Bradshaw ?

Le verre de jus d'orange à la main, les yeux fixés sur Leslie à l'abri de ses paupières mi-closes, Michaël s'efforçait de déterminer pourquoi elle ne lui paraissait pas séduisante. D'abord sa haute taille — il avait toujours préféré les femmes beaucoup moins grandes que lui. Ses cheveux ? D'une jolie nuance de blond, ils tombaient en vagues souples sur ses épaules. Rien à dire sur sa coiffure, elle lui seyait admirablement. Son maquillage se réduisait à l'essentiel : une ombre bleue sur les paupières, un peu de mascara et du rose sur les lèvres. Sans doute ne passait-elle pas des heures devant son miroir. Il se surprit à l'admirer pour ce trait de caractère plutôt qu'à la blâmer. Sous sa blouse blanche, elle portait un chemisier de soie rose et un pantalon de toile noire. Il la devinait très mince avec des seins petits et des hanches étroites ; il préférait les formes un peu plus rebondies.

Elle avait des mains magnifiques, aux longs doigts effilés et des poignets délicats, seulement ornés d'une fine chaîne d'or pour l'un et d'une simple montre pour l'autre. Et son cou ! Mince et élancé. Et son visage ! A la fois sévère et vulnérable, attentif et ouvert, prudent mais éclairé par des yeux bleus où l'humour n'était pas absent. Il éprouvait l'envie de le découvrir rayonnant de bonheur, ardente de passion.

Michaël réprima un soupir. Oui, il la trouvait

terriblement séduisante, pourquoi le nier. Une question se posait : qu'allait-il faire ?

— Vous appartenez à l'équipe dirigeante du Centre m'a-t-on dit, commenta-t-il doucement.

Leslie feignit d'ignorer sa volonté de changer de sujet. Après tout, c'était là le B.A.-Ba. de la psychologie : laisser le patient suivre son idée. Toutefois, Michaël n'était pas précisément un patient.

— Cela vous gêne ?

— Pas du tout, répondit-il avec un large sourire. Mais j'aime savoir qui je suis supposé impressionner.

— Et pourquoi jugez-vous nécessaire de m'impressioner, monsieur Bradshaw ?

— Parce que vous êtes une jolie femme, naturellement, répliqua-t-il d'un ton uni.

Leslie prit le temps de l'examiner en détails. Il portait un pantalon de couleur chocolat et un simple polo à rayures brunes et beiges aux manches roulées jusqu'aux coudes. Ses muscles longs, son ossature légère évoquaient immanquablement l'image d'un chat — svelte, nerveux, vigoureux, prêt à bondir. Elle laissa son regard remonter vers le beau visage insondable, les yeux étranges entourés de cils si pâles qu'ils en devenaient presque invisibles, les cheveux aux reflets dorés.

— Et vous un homme plutôt agréable à regarder, vous le savez sûrement, répondit-elle en souriant. Mais... ce n'est pas tellement ce qui nous importe ici. Vous nous avez gentiment offert votre temps — et j'apprécie ce fait — mais ne voulez-vous pas me faciliter la tâche en vous montrant un peu plus coopératif ?

Ainsi, elle n'était pas seulement belle, reconnut Michaël avec une pointe d'admiration. Mais aussi championne dans l'art de prendre en main les « clients difficiles », comme lui. Pourquoi diable travaillait-elle dans un Centre comme celui-ci ? se demandait-il.

— Ne pourrions-nous pas laisser tomber les « Monsieur Bradshaw-Docteur Roarke » ? suggéra-t-il. Nos relations seraient plus aisées si nous nous appelions par nos prénoms, non ?

— Pas nécessairement. Continuons plutôt notre conversation, nous discuterons la question des noms plus tard.

— Je pensais que dans votre métier le patient avait toujours raison.

— Vous n'êtes pas exactement un patient.

— Alors, que suis-je donc ?

Leslie l'imaginait sur le pont d'un petit voilier, les pieds chaussés de tennis, un short blanc pour tout vêtement, les cheveux ébouriffés par le vent, les mains manipulant les cordages... Elle éprouva quelques difficultés à se reprendre.

— Eh bien, le docteur Jorgenson ou le docteur Davis ne vous ont pas expliqué...

— Si, si. Je sais tout des tests que vous utilisez ici et j'en ai subi la plupart. Mais j'aimerais que vous me précisiez ce que je dois faire avec vous.

Il inclina la tête et eut un sourire explicite en même temps que désarmant. Leslie baissa promptement son visage afin d'en dissimuler l'expression.

Sur son bloc-notes, elle écrivit « incorrigible » et souligna de deux traits. Ce simple mot semblait résumer tout ce qu'elle savait de Michaël Bradshaw.

Un instant plus tard, elle releva les yeux, à nouveau calme et souriante, sûre d'elle-même.

— Notre entretien n'est pas un test, Michaël.

Michaël ! Parce que le prénom du jeune homme avait jailli inconsciemment de ses lèvres et qu'elle se morigénait intérieurement, elle continua d'un ton plus ferme, plus sec aussi :

— Les investigations psychologiques font partie de notre travail de recherche sur tous les sujets qui se présentent au Centre.

Allons bon, c'était presque pire : la voilà qui traitait Michaël de « sujet » à présent ! Pourquoi pas de cobaye ! Elle toussota, légèrement mal à l'aise avant de poursuivre :

— Nous nous efforçons de découvrir s'il existe ou non une relation entre le psychisme des gens et leur capacité à produire des phénomènes paranormaux. Vous le comprenez aisément, votre coopération me serait très précieuse.

— Vous voulez dire que vous serez en mesure, juste en bavardant avec moi, d'expliquer pourquoi je suis capable de faire toutes ces... choses ?

Pas la moindre parcelle de doute dans les prunelles bleues. Elle répondit avec assurance :

— Grâce à nos conversations, aux résultats des tests, aux électroencéphalogrammes, à divers autres examens, oui. Aucun de ces éléments pris individuellement n'est significatif, mais combinés ensemble, ils nous fournissent des réponses valables à nos questions.

« Bon sang ! pensa Michaël avec irritation. Elle est complètement engluée dans tout ça. » Mais pourquoi éprouvait-il un si grand désappointement ? L'entretien rituel avec le docteur Leslie Roarke faisait partie du jeu, on le lui avait dit. Naturellement, il allait essayer de coopérer, il le fallait bien, mais le cœur n'y était pas.

Leslie posa ses mains à plat sur la table, se renversa contre le dossier de sa chaise et déclara patiemment :

— Si nous revenions à ma question.

— Qui était ?

Les yeux de Michaël s'étaient posés sur sa poitrine. Oh, il s'agissait d'une sorte de réflexe commun à tous les hommes, un acte involontaire et dénué de toute signification. En d'autres circonstances, elle ne l'aurait pas remarqué. Toutefois, il y avait quelque chose d'indéfinissable chez cet homme qui lui donnait envie de ne pas l'ignorer. Et d'ailleurs l'aurait-elle pu ? Ses sens réagissaient follement à ce simple regard.

Il prit aussitôt conscience de son trouble.

— Vous ne préférez pas parler de ma vie sexuelle, vous êtes sûre ? demanda-t-il d'une voix un peu rauque. Ce serait beaucoup plus intéressant.

Elle soutint son regard sans broncher et répéta sa question d'un ton ferme :

— Quand avez-vous découvert l'existence de vos pouvoirs paranormaux ? La télékinésie, par exemple.

Une ombre fugace traversa les yeux couleur de miel — irritation ou simplement dépit ? Leslie n'aurait su le dire — puis il haussa les épaules et se levant d'un bond souple, marcha vers la fenêtre.

— Vers l'âge de douze ans, je suppose, dit-il avec indifférence, en regardant le parc. Rien de bien remarquable d'abord, je m'amusais à faire tomber les crayons et les craies à l'école, et d'autres bêtises de ce genre. L'habileté m'est venue ensuite avec la pratique. Vous devriez embaucher un jardinier. Ce coin pourrait devenir charmant avec un peu de soins.

— C'est au-dessus de nos moyens, avoua Leslie.

Sur son bloc, elle nota : « début des phénomènes de télékinésie à la puberté. Chercher des cas analogues et comparer. » Puis, comme pour le punir du trouble qu'elle avait éprouvé, elle ajouta : « Motivation sexuelle ? Ou au contraire manque d'assurance ? Agressivité sexuelle peut-être le signe d'une intériorisation... »

— Si j'étais vous, reprit Michaël sans se retourner, je subtiliserais une partie de la subvention et je m'emploierais à rendre ce jardin plus pimpant. Les apparences comptent beaucoup, vous savez.

La subvention ! Ça alors ! Qui donc avait jugé utile de l'informer de leurs problèmes financiers et de leur espoir d'obtenir une aide du gouvernement ? Les sourcils froncés, Leslie s'apprêtait à lui poser la question lorsqu'il pivota vers elle, les mains dans les poches, une lueur amusée dans le regard.

— Soit dit en passant, ajouta-t-il nonchalamment, je ne manque pas d'assurance et je n'intériorise rien du tout.

Un instant, Leslie demeura interloquée. Il lui tournait le dos pendant qu'elle écrivait : il n'avait absolument pas pu déchiffrer les mots qu'elle avait tracés à la hâte. Alors ? Une preuve de la réalité de ses pouvoirs ? Non, elle s'interdisait de porter un jugement. Ce n'était pas son rôle. Elle devait se borner à sonder son psychisme. Seulement, il était si beau avec le soleil jouant dans ses cheveux, ses yeux extraordinaires rivés aux siens, qu'elle aurait presque pu croire... n'importe quoi.

— Simple exercice de magie, cher docteur Roarke.

— Et pourquoi feriez-vous cela ?

Avec la grâce et la rapidité d'un félin, il s'approcha, posa les mains sur le bureau et se pencha vers elle jusqu'à ce que leurs deux visages fussent au même niveau, leurs regards soudés l'un à l'autre. Elle percevait l'odeur subtile de son eau de toilette : un parfum vaguement exotique mêlé d'une note plus épicée ; à la fois doux et piquant, si bien en accord avec Michaël Bradshaw lui-même...

— Et pourquoi ne le ferais-je pas ? observa-t-il doucement.

Peu habituée à recevoir des avances non déguisées, Leslie se rendit brusquement compte qu'elle ne savait pas comment réagir. Elle devait se montrer doublement prudente : il serait tellement facile de se laisser séduire par un homme comme lui.

Une douce chaleur envahissait son corps, son pouls battait la chamade tandis que le souffle de Michaël effleurait sa joue. Elle se rendit compte —

avec quelle surprise ! — qu'elle était en train de s'abandonner à un véritable sortilège.

Rapidement, elle se ressaisit et reprenant la situation en main, elle interrogea :

— Quel effet cela vous fait-il de posséder des pouvoirs que les autres n'ont pas ?

Il se redressa avec un petit sourire, acceptant la défaite de bonne grâce. Quelle maîtrise d'elle-même ! Bien qu'il n'ait jamais éprouvé qu'un respect mitigé pour les psychiatres en général, il se sentait impressionné par celle-ci. Sans doute était-elle très compétente dans sa branche. Mais comment diable l'idée saugrenue de travailler dans ce Centre lui était-elle venue ?

— Je vais vous faire un aveu : cela me permet de ne jamais m'ennuyer.

Après une brève pause, il ajouta :

— Vous manquez d'expérience, n'est-ce pas ? Je veux dire... avec les hommes. Pourquoi ?

Perspicace, en plus, ce M. Bradshaw ! Et il reprenait le contrôle de la conversation avec une facilité déconcertante. Oh, et puis après tout, pourquoi ne pas lui répondre ?

— Mon travail me laisse peu de temps pour... les agréments de la vie sociale.

— Pas même pour un petit ami ? Vous n'avez jamais été mariée ?

Une légère tristesse apparut sur les traits de la jeune femme mais elle la chassa d'un haussement d'épaules.

— La plupart des hommes battent en retraite lorsqu'ils apprennent ma profession. Ils craignent de me voir les analyser, je suppose, ou bien ils ont peur que je ne me mette à évaluer leurs performances intimes.

Elle eut un petit rire.

— En d'autres termes, je ne mets pas les hommes à l'aise dans la vie courante.

Les yeux topaze pétillèrent.

— Seulement ceux qui manquent d'assurance. Comme je vous l'ai déjà signalé, je n'appartiens pas à cette catégorie. Je ne redoute absolument pas de voir juger mes prouesses sexuelles.

Il exagérait un peu... mais il était si charmant ! Comme il serait agréable de sortir avec lui en dépit de ses incroyables facultés et d'une névrose probablement latente. Avec un soupir de regret elle se demanda si elle rencontrerait un jour un homme « normal » qui lui plaise autant que Michaël Bradshaw. Puis elle se rappela à l'ordre sévèrement : elle était là pour *travailler*.

— Maintenant que j'ai apporté ma contribution à l'entretien, si nous parlions un peu de vous ?

Sans répondre à sa suggestion, il interrogea :

— Pourquoi vous êtes-vous intéressée à ce genre de recherches ?

— Mon oncle était le fondateur de ce Centre.

Michaël fronça les sourcils. Elle était donc profondément ancrée dans cet établissement. L'agacement qu'il éprouvait l'étonna. Après tout, qu'elle appartienne à cette fondation ne diminuait en rien son charme.

— Un héritage, en quelque sorte ?

— En quelque sorte, oui.

Décidément, elle devait le laisser diriger la conversation à sa guise et se montrer patiente. De toute évidence son rapport ne serait pas prêt à midi pour la réunion du comité. Tant pis. Elle n'était pas responsable du manque de coopération du sujet.

Michaël se promena un moment dans la petite pièce qui ressemblait plutôt à une agréable salle paysanne qu'à un bureau : de simples meubles de bois, des murs au papier peint un peu fané décorés d'innombrables dessins et d'aquarelles réalisées par les enfants de l'hôpital, un petit canapé recouvert de coton fleuri assorti aux rideaux. L'ensemble était chaud et accueillant. Le jeune homme se demandait à quoi ressemblait l'appartement de Leslie et s'il y pénétrerait un jour.

Leslie le regardait. Pas avec le détachement d'un clinicien — qui n'aurait pas manqué de noter ses observations : agitation, anxiété, tension nerveuse — mais avec le plaisir du spectateur invité à contempler un spectacle gracieux, les évolutions d'un danseur peut-être, ou celles d'un animal sauvage.

Soudain, il s'arrêta devant elle.

— Cela vous ennuie... que je sois capable de faire toutes ces choses... extraordinaires ?

Leslie aurait dû immédiatement lui retourner la question, elle le savait bien. Toutefois, pour d'obscures raisons, elle s'en abstint.

— Vous voulez savoir si je suis impressionnée par vos pouvoirs ? Eh bien, non, monsieur Bradshaw, dit-elle avec un petit sourire d'excuse. En fait, ce ne sont pas vos pouvoirs qui m'intéressent, seulement le processus qui dans votre inconscient vous permet de les posséder. Pour moi, les miracles...

Puis elle poursuivit d'un ton ferme :

— Par contre, ce qui m'ennuie fortement, c'est que je participe à une réunion dans vingt minutes et que nous n'avons pas encore commencé notre entretien.

Ainsi elle ne croyait pas à l'influence du surnaturel ; elle pensait pouvoir tout expliquer en sondant le psychisme des gens. Ah ! comme il avait envie de tout lui révéler. Mais non, il ne pouvait pas. Pas encore.

Il lui adressa un sourire éblouissant et prit un ton exagérément contrit pour déclarer :

— J'aurais dû vous prévenir : je souffre de troubles de l'attention. Mais d'accord, je suis prêt. Allons-y.

Leslie se mit à rire. Décidément, il lui plaisait de plus en plus, ce M. Bradshaw. Avant qu'elle ait pu lui répondre, le téléphone intérieur sonna : Malcolm était au bout du fil.

— Leslie, je te dérange, excuse-moi. Mais c'est important. J'aimerais t'emprunter M. Bradshaw quelques instants. Je veux voir avec lui le résultat de certains tests avant la réunion. Tu es d'accord ?

Consultant sa montre, Leslie jura intérieurement. Toutefois, elle répondit gentiment :

— Pas de problème. Je te l'envoie tout de suite.

De toute façon, elle en était certaine, elle n'aurait rien obtenu de plus de ce sujet évasif et incroyablement charmant.

— Merci.

Après une brève pause, Malcolm ne put s'empêcher de demander :

— Qu'en penses-tu ?

— Pas grand-chose, fit-elle avant de raccrocher.

Déjà, Michaël se dirigeait vers la porte.

— J'ai l'impression d'être le jouet favori de tout le monde, ici, commenta-t-il d'un ton faussement résigné. Dommage, nous allions tout juste commencer...

— Vous ne souhaitez pas savoir où vous devez vous rendre ?

— Au bureau du Dr Jorgenson. Troisième étage. Deuxième porte à droite.

Diable d'homme, il avait deviné. Mais, évidemment, elle aurait dû s'en douter.

Il ouvrit la porte et se retourna vers Leslie, l'air pensif.

— Je fais tout cela comment, à votre avis ?

Sa voix trahissait seulement un intérêt sincère pour l'opinion de la jeune femme.

— Ma foi, je n'en ai pas la moindre idée. Et vous, vous le savez ?

Il la considéra un moment puis lui adressa un clin d'œil complètement désarmant en murmurant sur le ton de la confidence :

— Magie.

— Je ne crois pas à la magie, monsieur Bradshaw, répliqua Leslie fermement.

Ses yeux topaze étaient énigmatiques, son visage insondable quand il observa, après un silence :

— Pas de chance. La magie est la *seule* chose à laquelle je crois.

Puis il disparut dans le couloir.

Avec un soupir, Leslie se prépara à transcrire ses notes affreusement succinctes. Quarante-cinq minutes en compagnie du sujet le plus intéressant qui ait jamais franchi les portes du Centre et tout ce qui lui restait était un simple badinage enregistré sur une cassette. D'ailleurs, elle allait l'effacer cette conversation. Dès qu'elle l'aurait écoutée. Inutile de la conserver aux archives ni de la faire entendre à ses collègues.

Elle appuya sur la touche et attendit... une minute... deux... Silence complet. Apparemment, l'appareil n'avait pas fonctionné bien qu'il fût en excellent état de marche. Bizarre. Et Michaël lui avait conseillé de prendre des notes...

Les sourcils froncés, elle resta un long moment à considérer pensivement le magnétophone.

Chapitre 3

L'idée de solliciter l'aide du gouvernement n'avait jamais tellement souri à Leslie. Seulement, il avait tout de même fallu en passer par là : le Centre ne pouvait plus subvenir à ses besoins. Les dons privés ne suffisaient plus à couvrir les dépenses sans cesse en augmentation ni à permettre l'achat d'un nouveau matériel indispensable. Combien de fois n'avaient-ils pas dû renoncer à effectuer des investigations hors de la fondation faute de pouvoir s'offrir un équipement mobile !

Depuis six mois affluaient donc les imprimés de l'administration, les circulaires, les formulaires à remplir et... les inspecteurs. La jeune femme était lasse de tenter d'expliquer à des profanes leurs strictes méthodes scientifiques de travail ; elle était excédée de lire le désappointement sur les visages des fonctionnaires qui s'attendaient à découvrir à l'intérieur de l'institut une sorte de version hollywoodienne du paranormal — avec des ectoplasmes déambulant dans les couloirs et des bruits de chaînes — et qui étaient déçus de ne trouver que des souris blanches dans des laboratoires et des graphiques indéchiffrables dans des placards. Les fonds publics n'étaient pas distribués inconsidérément, elle pourrait en témoigner !

Six mois d'enquête et pourtant aucune décision ne leur avait encore été notifiée. Enfin, elle en apprendrait peut-être un peu plus sur l'avancement de leur demande lors de la réunion du conseil d'administration prévue à midi. L'ordre du jour le stipulait, ainsi que « discussion de la recherche en cours ». En d'autres termes : cas Michaël Bradshaw.

Leslie ôta sa blouse et saisit son bloc-notes, les sourcils toujours froncés. La panne incompréhensible du magnétophone ne cessait de l'intriguer. « Magie » avait dit Michaël en quittant son bureau. Il plaisantait, évidemment. Et si jamais — ce n'était pas totalement impossible après tout — elle était confrontée avec ce cas à quelque chose de totalement inexplicable ? Quelles conséquences cela aurait-il pour le Centre ? Et, plus important encore, sa façon de considérer les phénomènes paranormaux ne s'en trouverait-elle pas changée ?

Oh, il y avait des destins pires, supposa-t-elle, que de passer sa vie à étudier un homme comme M. Bradshaw !

Avant de quitter la pièce, elle jeta un rapide coup d'œil à sa montre et décrocha le téléphone. Elle souhaitait savoir si tout s'était bien passé à l'hôpital pendant son absence.

— Pas de problèmes particuliers, répondit Carol.

Carol était sa secrétaire à temps plein, compétente et dévouée. Leslie appréciait à sa juste valeur ce luxe que lui offrait le centre hospitalier mais que la fondation ne pouvait se permettre.

— Le docteur Pinchon vous envoie l'un de ses patients, poursuivait Carol. Je lui ai donné rendez-vous pour mercredi... Mme Griffin est un peu inquiète au sujet d'Amy. J'ai pensé que vous aimeriez la rassurer dès votre retour : elle viendra donc à la consultation de demain.

— Parfait.

— Oh ! Et puis votre père a téléphoné, attendez...

Il y eut un petit bruit de pages tournées en hâte.

— ... six fois ! Il paraissait ennuyé de ne pas pouvoir vous joindre mais il n'a pas voulu vous déranger à votre hôtel. Il a précisé que ce n'était pas urgent.

Son père refuserait toujours obstinément d'accorder la moindre confiance aux répondeurs téléphoniques. Et il avait préféré harceler Carol plutôt que de laisser un message pour elle à la fondation du « vieux fou ». Elle le reconnaissait bien là !

— Six fois ? Hum...

Machinalement, la jeune femme nota dans son agenda qu'elle devrait le rappeler. Mais rien ne pressait, elle ne se précipiterait pas sur son combiné sitôt rentrée chez elle. Les rencontres avec les membres de sa famille se révélaient d'ordinaire si peu agréables qu'elle préférait les éviter au maximum.

— Enfin... Tout va bien dans le service, c'est le principal. J'essaierai tout de même de passer cet après-midi. Sinon, demain matin de bonne heure.

En cas d'urgence, n'hésitez pas à m'appeler, comme d'habitude, soit ici, soit chez moi.

— Entendu, fit Carol gaiement. Vous pouvez compter sur moi.

Efficiente Carol, toujours de bonne humeur et toujours à l'heure, elle !

Midi avait sonné depuis cinq bonnes minutes lorsque Leslie traversa à la hâte la cour inondée de soleil. Certes, la ponctualité n'était pas sa principale qualité, toutefois elle se demanda si son retard, ce jour-là, ne relevait pas plutôt de la diplomatie. Jamais elle n'avait abordé une réunion dans un tel état d'esprit. Ses collègues attendaient d'elle au moins quelques observations à propos de Michaël Bradshaw et que répondrait-elle ? Que pourrait-elle dire sinon qu'il était terriblement déroutant, qu'en sa présence le mot « secret » devenait vide de tout sens puisqu'il était capable de lire des mots sans les voir écrits, de comprendre des paroles prononcées au téléphone sans les entendre. Et le magnéto... qui n'enregistrait rien. Pour la première fois de sa vie, le sceptique docteur Roarke, raisonnable et rationaliste, se trouvait totalement déconcertée et plutôt captivée par ce sujet génial.

George, Malcolm et Winston Monroe l'attendaient impatiemment en grignotant quelques chips, un gobelet de café à la main. Winston, l'administrateur du Centre, était le seul non scientifique du groupe. A l'instar de celui de Leslie, son bureau était petit et meublé simplement. Toutefois, la ressemblance entre les deux pièces s'arrêtait là. Pas de dessins épinglés sur les murs lambrissés de bois, ni de rideaux à fleurs aux fenêtres, pas de désordre sur la table ou dans les tiroirs : une atmosphère austère et studieuse, encore renforcée par le ton gris de la moquette. Seule une petite photo de sa femme accompagnée de ses deux enfants apportait une touche personnelle.

Quand Leslie entra, Winston passa nerveusement une main sur son bureau pour en ôter les miettes et, les sourcils froncés, observa :

— J'ai cru que vous aviez oublié notre rendez-vous.

— Non, répondit-elle, j'ai simplement été retardée.

Elle se laissa tomber dans l'un des fauteuils si peu confortables et croisa les jambes, s'efforçant de donner d'elle l'image d'une jeune femme calme et sûre d'elle.

— Je suis désolée, mais je n'ai pas pu aller bien loin avec M. Bradshaw, commença-t-elle en s'adressant à Malcolm et George. Il nous faudra prévoir un autre entretien. Après tout, c'est peut-être une bonne chose. Je connaîtrai des conclusions de vos rapports avant de l'interroger à nouveau.

Ses deux collègues semblèrent quelque peu désappointés. L'examen approfondi et simultané de *toutes* les données était nécessaire au succès de leurs recherches et constituait une règle qu'ils n'enfreignaient jamais. Winston s'empressa d'intervenir :

— Aucune importance, dit-il. Je voudrais simplement savoir une chose : êtes-vous, tous les trois, convaincus que cet homme est un sujet sérieux ?

Malcolm et George échangèrent un regard.

— Sans doute, déclara George.

— Le résultat de tous ses tests démontre des pouvoirs paranormaux stupéfiants, affirma Malcolm. Il ne nous était pas encore arrivé d'en constater de semblables.

Le regard interrogateur de Winston s'arrêta sur Leslie. Impossible de se dérober, il lui fallait répondre à son tour.

— Ses capacités sont... extraordinaires, reconnut-elle prudemment. Je pense qu'effectivement son cas mérite d'être approfondi.

Apparemment satisfait, Winston approuva d'un signe de tête et se leva.

— Bien ! Nous sommes donc prêts à commencer.

Il traversa la pièce et ouvrit la porte. Souriant, Michaël Bradshaw entra.

Les trois scientifiques se regardèrent, vivement surpris. Jamais on n'invitait le sujet à assister à une réunion au cours de laquelle son cas devait être discuté. Jamais ! Leslie ouvrit la bouche pour protester, mais avec l'air du chat qui a avalé le canari, Winston ne lui en laissa pas le temps.

— Mes chers amis, fit-il avec un grand geste de la main, permettez-moi de vous présenter Michaël Bradshaw... le meilleur magicien de tous les Etats-Unis.

« Non, ce n'est pas possible » fut la première pensée de Leslie. « Mais si, bon sang, je le savais. Je savais que son cas était trop beau pour être vrai. Et d'ailleurs il me l'avait dit lui-même... » Puis l'indignation, la fureur d'avoir été trahie la figèrent sur son siège, incapable de parler, incapable même de réfléchir, l'esprit complètement vide.

— Que diable... ?

Malcolm n'acheva pas sa phrase et George, ses yeux pâles paraissant plus bleus dans son visage devenu soudain grisâtre, murmura :

— Je ne suis pas sûr d'avoir bien compris...

Winston regarda les deux hommes d'un air suffisant en hochant imperceptiblement la tête.

— Rien de plus simple. Il vous a tous dupés en dépit de vos équipements complexes et même, ajouta-t-il en lançant à Leslie un regard triomphant, il a presque convaincu notre psychiatre patenté, si circonspecte d'ordinaire. Plutôt impressionnant, non ? Ou plutôt effrayant, selon la manière dont vous envisagerez la chose.

Les deux médecins protestèrent avec colère.

— Qu'est-ce que tout cela signifie ?

— Vous vous êtes moqué de nous, Winston, nous n'allons pas laisser passer ça...

Leslie demeura silencieuse. Les joues en feu, la gorge nouée d'indignation, elle pestait intérieurement. Rencontrer le regard de Michaël ne l'aida pas à se calmer. L'amusement se lisait sans peine dans les yeux topaze, mêlé toutefois à une lueur qui ressemblait à de l'embarras, peut-être même à du remords. La jeune femme se détourna rapidement. « Ces satanés yeux, pensait-elle, furieuse. Ils sont cause de tout. Sans ces ridicules yeux jaunes, jamais je n'aurais même envisagé... »

Mais elle essayait de se donner le change, elle le savait bien. En fait, elle était presque arrivée à

admettre l'existence de pouvoirs paranormaux chez
cet homme parce que, pour la première fois de sa
vie, elle l'avait *voulu*. Et cette volonté, en lui faisant
abandonner son scepticisme, l'avait rendue vulnérable.

— Messieurs...

La voix calme de Michaël s'éleva au-dessus des
récriminations de Malcolm et George. Les deux
hommes lui lancèrent un coup d'œil hostile et
soupçonneux mais se turent néanmoins pour le
laisser parler.

— Je suis désolé de vous avoir déçus, mais c'était
nécessaire, vous allez le comprendre. J'ajoute qu'il
n'y avait de ma part ni méchanceté ni intention de
vous faire perdre votre temps, je vous en donne ma
parole.

Il leur adressa un sourire amical qui, plus encore
que ses regrets, apaisa leur colère. Ils s'intallèrent
plus confortablement dans leurs fauteuils et se
préparèrent à écouter ses explications.

Winston regagna son siège, derrière son bureau,
et Michaël s'adossa à la fenêtre. Sans un regard pour
Leslie, il commença d'une voix calme et bien
timbrée :

— Les jours derniers, je n'ai fait que reproduire
des phénomènes que vous aviez déjà étudiés et vous
en montrer quelques autres. En fait, chacun d'eux
n'était qu'illusion. N'importe quel apprenti prestidigitateur est d'ailleurs capable d'en exécuter la plupart. Seulement, il est nécessaire d'être menteur
pour reconnaître un autre menteur. Je devais vous

en convaincre avant d'envisager autre chose avec vous.

Comme il semblait différent, pensa Leslie. Dans son bureau, il s'était montré charmant, drôle, taquin même, et elle le découvrait sûr de lui, ferme, précis. Possédait-il donc autant de personnalités que de tours dans son sac ? Un *magicien !* se répétait-elle. En fait, un *menteur,* il l'avait dit lui-même.

— Vous devez bien comprendre, messieurs, s'empressa d'ajouter Winston, que dans les recherches menées ici, la supercherie constitue l'un des principaux problèmes. Et pas seulement pour nous, pour nos sponsors également.

— Nom d'un chien, s'emporta Malcom, incapable de se contenir plus longtemps. Quelle injustice ! Et quelle mauvaise foi, en plus, Winston. Nous avons ici un centre d'études de tout premier plan...

— Nos méthodes sont inattaquables, renchérit George. Chaque détail est examiné de façon *scientifique.* Nous passons des années à établir des dossiers rigoureux pour chaque cas et jamais nous n'établissons de rapport définitif avant d'avoir apporté la preuve *scientifique* de toutes nos conclusions. Vous le savez parfaitement, Winston. Vous vous êtes même souvent plaint de la lenteur...

— Vous avez l'audace de nous accuser de supercherie ! coupa Malcolm, au comble de la fureur.

Sentant qu'il perdait le contrôle de la situation, Winston parut quelque peu affolé. Michaël intervint alors avec une tranquille assurance.

— J'ai pris la liberté, dit-il, d'examiner quelques-uns de vos travaux des dernières années. Vous possédez notamment un dossier très complet sur un jeune homme capable d'identifier des cartes déposées au hasard sur une table. Les joueurs professionnels — et les prestidigitateurs — utilisent le même système pour gagner leur vie, simplement, ils n'en parlent pas. Et l'adolescente capable de projeter des images sur un écran de télévision ? Cela m'ennuie de vous l'apprendre, mais ce n'est qu'une question de miroirs.

Avec un haussement dépaules, il ajouta :

— Et je pourrais continuer.

Leslie serrait les poings si fort que ses articulations blanchissaient. Winston se hâta d'expliquer :

— Le nœud du problème est là. Même les investigations menées avec le plus grand sérieux, avec la plus grande honnêteté scientifique sont sujettes à des erreurs sans le concours d'un expert, spécialement dans un domaine aussi... inexploré que celui-ci. Vous le savez, je suis fier du travail réalisé ici. Bien que je ne sois pas un scientifique comme vous, je me sens associé — je prends part, même — à ce qui se fait ici. J'ai toujours agi au mieux des intérêts de la fondation, n'est-ce pas ? Et toujours aidé de mon mieux l'équipe des chercheurs...

Malcolm interrompit ces propos enflammés et légèrement excessifs.

— Alors, pourquoi soulever tout à coup cette histoire de supercherie ? interrogea-t-il d'un ton rogue. Et pourquoi nous amener ce...

Il fit un grand mouvement du bras en direction de Michaël et l'espace d'un instant, Leslie crut qu'il allait accompagner son geste théâtral d'une déclaration grandiloquente, comparant le jeune homme à une vipère introduite dans leur sein ou un loup dans leur bergerie. Mais non, il parvint à se modérer.

— ... ce *charlatan*, afin de dénoncer ce qui n'existe pas ici ?

Winston laissa échapper un long soupir.

— Justement, Malcolm, l'idée n'est pas de moi. Le gouvernement veut s'entourer de garanties avant de distribuer ses fonds. Les autorités exigent un dispositif de sécurité, en quelque sorte, pendant une période-test. Et, conclut-il simplement, M. Bradshaw jouera ce rôle.

Allez donc comprendre les subtilités de l'esprit bureaucratique, pensait Leslie. L'idée de subventionner des recherches psychiques rend les autorités mal à l'aise, aussi s'empressent-elles d'envoyer un magicien pour éliminer les éventuelles supercheries. Un magicien ! Il y avait certainement une logique dans tout cela, mais elle ne pouvait apparaître évidente qu'à un autre gratte-papier... comme Winston.

— Donc, si j'ai bien compris, M. Bradshaw va se joindre à notre équipe, dit-elle enfin.

Winston sursauta légèrement en entendant la voix de la jeune femme puis il parut soulagé. Après ce long silence tendu, il s'attendait à pire.

— Eh bien, pas vraiment, répondit-il. Pas de façon permanente. Michaël enseigne à l'université, il sera là, à titre consultatif, seulement pendant l'été.

— En d'autres termes, juste assez longtemps pour satisfaire aux conditions du gouvernement, observa-t-elle froidement.

— Si seulement vous vouliez bien envisager les choses de façon raisonnable, reprit Winston d'un ton plaintif. Si seulement vous réfléchissiez cinq minutes, vous verriez quels bénéfices le Centre pourra tirer de cet arrangement. Et pas uniquement sur le plan de la trésorerie. Michaël pourra vous aider à affirmer vos méthodes d'investigation ; il vous enseignera des choses que vous n'auriez jamais pu découvrir par vous-même. Il vous permettra de diminuer de moitié le temps consacré à vos recherches. Nous possédons là une chance extraordinaire d'accomplir de grands progrès. Que pourriez-vous objecter à cela ?

— Alors nous devrons nous en rapporter à lui pour tout : pour savoir si nos recherches sont valables et nos conclusions correctes ! Pourquoi ne pas lui céder carrément la place ? Il expliquera tout par la magie. Quelle économie ! Plus besoin d'équipement, plus besoin de personnel. A lui tout seul, et en un clin d'œil, il vous bouclera un rapport infaillible.

— Je n'ai pas l'intention de vous priver de votre travail, docteur Roarke, observa Michaël doucement. Mon seul but est de vous faciliter la tâche. C'est vrai, je m'efforcerai de détecter d'éventuelles supercheries, mais loin de moi l'idée d'émettre le moindre jugement hâtif. Si je peux vous prouver sans l'ombre d'un doute que tel ou tel des sujets qui se présentent ici n'est qu'un illusionniste de talent, alors, je vous aurai épargné et votre temps et votre peine. Par contre, si ce que je vois me paraît

inexplicable... eh bien, conclut-il avec un haussement d'épaules, cela ne me concernera plus.

Winston hocha la tête avec enthousiasme.

— Vous le constatez vous-même : cette solution
est idéale pour tout le monde.

Puis, sans attendre de réponse, il ajouta rapidement :

— Je sais que vous allez tous coopérer avec
Michaël.

S'adressant au jeune homme, il suggéra :

— Pourquoi ne pas passer le reste de la semaine à
vous familiariser avec les lieux et les travaux en
cours ? Leslie, qui a accès à toutes les informations,
pourra vous aider. Pour l'heure...

Il se leva et ses interlocuteurs l'imitèrent : l'entretien était terminé. Seule Leslie resta assise.

— ... soyons reconnaissants envers les autorités,
la condition qu'ils posent est plutôt avantageuse
pour nous.

Les trois hommes sortirent sans ajouter une
parole.

— Je n'ai jamais entendu parler de lui, commenta
seulement Leslie d'un ton calme.

— De qui ? demanda Winston, surpris, en se
rasseyant.

— Michaël Bradshaw, évidemment. Vous nous
l'avez présenté comme étant le meilleur magicien de
tous les Etats-Unis, mais son nom m'est totalement
inconnu. Et que fait-il dans une université comme
Georgetown ?

— Eh bien, figurez-vous, toutes ces questions je
me les suis posées aussi. Mais tous les illusionnistes

ne se produisent pas à la télé ou dans des cirques. Bradshaw a cessé toute prestation en public afin de se consacrer à des études universitaires. Et c'est très bien pour nous. On accorde plus de crédibilité à un professeur qu'à un amuseur.

— Vous vous êtes renseigné à son sujet ?

— Naturellement. Grâce à mon nom — ou plutôt celui du Centre, le vôtre donc — j'ai pu forcer la porte de la société très secrète et très hiérarchisée des magiciens. Croyez-moi, Leslie, c'est une sacrée chance pour nous de l'avoir à nos côtés.

— A moins que ce ne soit une chance pour lui de nous avoir. Imaginez la publicité qu'il pourrait se faire sur notre dos. Imaginez les titres des journaux à sensation : « Envoyé par le gouvernement, un magicien va superviser les travaux d'un centre de recherches privé. » Il deviendrait un héros national en peu de temps.

— Aucun souci à se faire à ce sujet, répliqua Winston, sûr de lui. L'une des conditions posées par Michaël avant d'accepter ce travail était que son nom ne figure nulle part et ne soit jamais mentionné.

Il y eut une brève pause, puis Winston reprit :

— Ecoutez, Leslie, je ne vois pas où est le problème. Vous avez toujours été la plus sceptique de toute l'équipe, vous avez toujours demandé des preuves, eh bien... vous allez en avoir une supplémentaire.

— Des preuves *scientifiques,* corrigea-t-elle sèchement. Pas des...

— Vos réticences ne sont pas fondées, je vous assure. Et d'ailleurs, même si elles l'étaient...

Il haussa les épaules. De toute façon les dés étaient jetés.

— ... nous n'y pourrions rien. Pas de magicien : pas de subvention.

Evidemment ! Qui donc avait qualifié l'argent de « nerf de la guerre »...

— Oh ! Vous et vos satanés fonctionnaires, fit-elle d'un ton mordant en se levant. Il n'y a que vous au monde pour arriver à une solution pareille.

Il lui sourit avec un brin de condescendance.

— Vous n'êtes pas raisonnable.

Devant la porte, elle se retourna et le considéra pensivement.

— En effet, je n'accepte pas avec joie l'inévitable.

Un moment plus tard, elle retraversait la cour écrasée de soleil, l'esprit toujours occupé par cet « inévitable ». Oh, bien sûr, tout ce qu'avait dit Winston était vrai, au moins en apparence. Il n'empêche. Son esprit scientifique se révoltait. Un magicien ! Toutes les paperasseries, tous les fonctionnaires envoyés en inspection n'avaient pas suffi, il avait fallu que l'administration pose cette condition idiote... un magicien ! Et si jamais ses parents — et d'autres membres respectables de la communauté médicale — apprenaient sa présence dans leurs murs ? Seigneur ! Elle imaginait sans peine leurs réactions. Plus jamais les recherches menées au Centre ne pourraient être prises au sérieux.

Le Centre d'Etudes des Phénomènes Paranormaux était situé au cœur du Maryland, à un quart d'heure de l'hôpital pour enfants, à un quart d'heure de l'appartement de Leslie dans une autre direction, à une demi-heure de la mer et à moins de deux heures de Washington. Plantation de riz au siècle dernier, le domaine avait d'abord été converti en colonie de vacances avant d'être acheté par Albert Roarke. Par ses soins, le bâtiment principal avait alors été affecté aux recherches proprement dites et depuis lors, comprenait les nombreux laboratoires et les bureaux des chercheurs. Une construction plus petite abritait les services administratifs tandis que les anciens dortoirs transformés en chambres particulières servaient à l'accueil des sujets qui venaient de loin. L'ensemble, très pittoresque, possédait le charme subtil des vieilles demeures.

Toutefois, examinant attentivement les bâtisses, Leslie dut leur reconnaître un certain état de délabrement. Des fissures apparaissaient çà et là, le crépi tombait par plaques, l'un des toits avait besoin de réparations. L'aide de l'Etat s'avérait décidément indispensable.

« Pas de magicien : pas de subvention » avait dit Winston... La jeune femme se demanda vaguement si Michaël Bradshaw envisageait de séjourner à la fondation tout l'été. Ou peut-être préférerait-il retourner à Washington régulièrement ? Après tout, cela ne la concernait pas. Elle était bien résolue à le voir le moins possible, à ignorer même complètement sa présence.

A cet instant, il apparut à l'angle du bâtiment administratif et marcha à ses côtés, les mains dans les poches.

— Où allons-nous ? interrogea-t-il.

— Moi, je vais à l'hôpital, l'informa Leslie en ouvrant son sac. Vous... où vous voulez.

— Humm, murmura-t-il. Vous m'enverriez volontiers au diable, non ?

Sans répondre, elle obliqua vers le parking. Elle fouillait toujours nerveusement son sac.

— Je pensais que vous alliez me faire visiter les lieux, remarqua-t-il.

— Vous avez mal compris.

Où étaient donc passées ses clefs ? En fronçant les sourcils, elle reprit une fois encore ses recherches. En vain. La présence de Michaël à ses côtés la troublait ; et ce trouble l'irritait au plus haut point. D'un geste brusque, elle tira la fermeture à glissière et rajusta la bandoulière à son épaule. Puis elle se dirigea vers sa voiture.

— Comment vous y êtes-vous pris pour arrêter le magnétophone ? demanda-t-elle sans le regarder.

— Un magicien ne dévoile jamais ses secrets, répondit-il sur le ton de la confidence.

Puis, la sentant se raidir, il expliqua gentiment :

— J'ai utilisé un aimant, tout simplement.

— Je vois, fit-elle.

C'était donc à la portée de n'importe qui ! Il suffisait d'un peu d'ingéniosité, d'un peu d'adresse...

— Et avant ? reprit-elle.

Debout à côté de sa petite Austin, elle leva enfin les yeux vers lui. Ses cheveux négligemment repoussés vers l'arrière formaient une auréole dorée autour de son visage bronzé et ses prunelles claires paraissaient presque transparentes. Tout en lui était déconcertant.

— Comment avez-vous pu abaisser autant vos rythmes cardiaque et respiratoire ?

Les mains dans les poches, il regardait Leslie pensivement. Apparemment, il hésitait à lui répondre. Finalement, il lui adressa un sourire énigmatique.

— Ce pouvait être une très ancienne technique de yoga... ou bien... une manipulation préalable de vos appareils...

Son sourire s'élargit et une lueur amusée traversa son regard.

— J'adore vivre à notre époque de haute technologie, pas vous ? Tout est illusion ; on rencontre la magie à chaque carrefour.

— Je ne crois pas à la magie, répliqua Leslie sèchement. Je vous l'ai déjà dit.

Elle ouvrit à nouveau son sac puis le referma d'un geste impatient avant de fouiller ses poches.

— Alors, pourquoi est-ce que je vous dérange à ce point ?

— Je ne sais pas ce que vous voulez dire, répondit-elle en se penchant pour regarder à l'intérieur de la voiture. Et je n'ai pas le temps d'en discuter maintenant. Je suis attendue à l'hôpital.

Les clefs n'étaient pas accrochées au tableau de bord comme elle s'y attendait. Apparemment, elle les avait oubliées dans son bureau. Quel ennui ! Il allait lui falloir revenir sur ses pas, Michaël Bradshaw sur ses talons...

— Vous me paraissez un peu brouillée avec la logique, vous savez, constata-t-il doucement.

— J'ai entendu pire.

Elle passa devant lui et s'apprêta à traverser le parking ; il la suivit.

— D'abord vous travaillez ici, alors que vous possédez un diplôme de haut niveau de la fac de médecine, poursuivit-il implacablement. Ensuite, vous vous montrez sceptique et vous ne croyez guère à l'existence de pouvoirs paranormaux, à l'influence du surnaturel, et lorsque j'essaie de vous prouver qu'ils n'existent pas, vous vous mettez en colère.

Leslie s'arrêta et lui lança un regard furibond.

— Je *crois* à la vérité, monsieur Bradshaw. Je crois au bien fondé des méthodes scientifiques d'investigation. Je déteste les mystères et je déteste... les mensonges.

Sans paraître le moins du monde offensé, il observa :

— Vous savez ce que je pense, docteur Roarke ? Que tous vos beaux principes vous servent d'alibi. En fait, vous êtes furieuse contre moi pour une seule et unique raison : parce que je vous ai mystifiée, battue à votre propre jeu.

Leslie fut piquée au vif. « Seule la vérité blesse » disait la sagesse populaire. Elle devait bien l'admettre, Michaël ne se trompait pas tellement. Oui, elle était furieuse ; oui, elle lui en voulait de l'avoir dupée. Mais plus encore, elle s'en voulait à elle-même. Elle s'efforça toutefois de ne rien laisser paraître de ses sentiments et lui répondit calmement.

— Je ne supporte pas la tromperie, c'est tout. Et vous, de votre propre aveu, vous la personnifiez.

— Fort bien. Mais j'espère que cela n'aura aucune influence sur nos relations personnelles.

Leurs « relations personnelles », ça alors ! Une seconde elle le dévisagea, interloquée. Puis elle se reprit suffisamment pour lui rétorquer d'un ton neutre :

— Nous n'entretenons pas de « relations personnelles », il me semble.

— Pour l'instant. Mais il ne faut jurer de rien, docteur Roarke, assura-t-il.

De mieux en mieux ! Décidément, cet homme était stupéfiant. Tôt ou tard, elle devrait le remettre à sa place. Seulement, elle n'avait ni le temps, ni la patience, ni peut-être le courage d'aborder ce problème sur-le-champ. Tout ce qu'elle souhaitait était s'en aller au plus vite.

— Excusez-moi, déclara-t-elle d'un air un peu guindé. Comme je vous l'ai dit, les enfants m'attendent à l'hôpital. Bon après-midi, monsieur Bradshaw.

A peine avait-elle parcouru quelques mètres qu'elle s'entendit appeler. En soupirant, elle s'arrêta puis se retourna vers le jeune homme.

— Qu'y a-t-il ? demanda-t-elle.

Il n'avait pas bougé. Un large sourire aux lèvres, il répondit :

— Je ne voudrais pas que vous soyez en retard.

Il leva une main et envoya quelque chose dans sa direction.

— Bon après-midi, docteur Roarke, fit-il en quittant le parking.

Instinctivement, Leslie avait tendu le bras et attrapé l'objet au vol. Elle resta bouche bée en découvrant ce qu'elle tenait dans sa paume : ses clefs de voiture !

Chapitre 4

Le téléphone sonnait quand Leslie pénétra dans son appartement au soir de sa première journée de travail. Elle prit tout son temps pour refermer la porte. Son correspondant se lasserait peut-être d'attendre... Mais non, hélas, la sonnerie aigrelette continuait inlassablement à rompre le silence. Zut ! pensa-t-elle.

Elle traversa le salon et décrocha d'une main le combiné placé sur une petite table à côté du canapé tandis que de l'autre, elle tirait les rideaux afin de laisser entrer la douce lumière du crépuscule.

— Ma parole, tu jouais à pile ou face pour savoir si tu répondrais ou non ! dit George. Où étais-tu donc passée cet après-midi ?

Avec un soupir, elle se laissa tomber sur les coussins et ôta ses chaussures.

— Je travaillais, figure-toi.

— Humm... Oui, bon, d'accord. Mais tu sais aussi que nous avons à parler.

La jeune femme passa une main lasse dans ses cheveux.

— En fait, répondit-elle en choisissant ses mots avec soin, je crois que vous devriez discuter d'abord, Malcolm et toi. Après tout, vous dirigez tous les deux les recherches du Centre, vous êtes concernés au premier chef. Moi, je suis seulement un consultant. Et je ne voudrais surtout pas que mon opinion vous influence dans un sens ou dans l'autre.

— Dis-moi, tu ne serais pas un peu lâche, par hasard ?

— Si peu, dit-elle avec un petit rire. Mais, soit... je plaide coupable.

— Tu veux savoir ce que nous pensons ?

« Non. Tout ce que je souhaite, c'est boire un verre de vin français et oublier tous les magiciens de la terre. » Seulement, elle ne pouvait pas faire cette réponse à George. Son sens des responsabilités l'en empêchait.

— Oh, je parie que je devine.

— Nous avons d'abord très mal pris la chose, tu l'as vu par toi-même. Et d'ailleurs je trouve toujours l'idée détestable : nous imposer un... prestidigitateur ! Pourtant... en y réfléchissant bien...

Sa voix devint hachée. Il semblait parler à contre-cœur.

— ... cet homme a peut-être mis le doigt sur un problème. Tous nos équipements, tous nos tests, toutes nos données mathématiques ne suffisent peut-être pas. Pourquoi, après tout, ne pas accepter... un point de vue extérieur ? D'un autre côté...

Il laissa échapper un long soupir.

— ... toute cette histoire est moche et ce M. Bradshaw — tout champion qu'il soit dans sa

branche — fera bien de ne pas rôder autour de mon
laboratoire quand j'y travaillerai, je te le dis. Sinon,
il s'en repentira.

Leslie éclata de rire.

— Bravo, tu es un homme de décision !

Elle se pencha pour allumer la petite lampe
Tiffany posée à l'autre bout du canapé et une
lumière tamisée, légèrement rosée, rendit l'atmosphère de la pièce plus chaleureuse. C'était un salon
très confortable avec son canapé et ses fauteuils de
cuir beige, ses murs décorés de lithographies
modernes vivement colorées, son épais tapis, ses
bibelots choisis avec soin. Pourquoi ce soir lui
paraissait-il si vide ?

— Non, ne ris pas. Je suis sérieux. Je veux bien
me montrer large d'esprit et puisqu'il faut accepter
ce magicien parmi nous pour bénéficier de la subvention, eh bien, j'accepte. Seulement, ne t'attends
pas à me voir applaudir des deux mains. Ni surtout à
me voir coopérer avec lui.

— Et Malcolm ?

— Il est de mon avis, sauf en ce qui concerne la
coopération. Tu le connais : il prend tout à cœur.

— Et toi non ? ironisa-t-elle gentiment pour
gagner du temps.

George attendait avec impatience qu'elle lui fasse
part de son opinion, elle le savait bien. Il lui fallait se
décider soit à abonder dans le sens de ses collègues,
soit à se ranger aux côtés de Michaël. Si elle
choisissait la première hypothèse, s'ils formaient
tous les trois, un bloc uni contre le jeune homme,
celui-ci serait bien obligé de partir au bout de

quelques semaines et alors, qu'adviendrait-il du Centre sans l'aide du gouvernement?

Quelle responsabilité! Et comment allait-elle donc pouvoir affirmer à Malcolm et à George que la venue de Michaël Bradshaw était la meilleure chose qui puisse leur arriver alors qu'en fait elle pensait comme eux. Ah! si seulement ils accordaient moins d'importance à son jugement! Mais elle s'appelait Roarke et elle était psychiatre. Pour ces deux raisons, elle jouissait d'un grand prestige à leurs yeux.

Comme le silence s'installait, George formula finalement la question qui lui brûlait les lèvres:

— Quel est ton point de vue?

Elle eut un petit rire évasif.

— Tu sais comment je suis: je déteste les appréciations hâtives.

Devinant le désappointement de son collègue à l'autre bout du fil, elle ajouta d'un ton contrit:

— Ecoute, George. La journée a été longue et fatigante et je n'ai pas encore dîné. Pourquoi ne pas nous laisser le temps de réfléchir calmement à tout cela. De toute façon, nous ne ferons rien de plus cette nuit. Attendons quelques jours et nous reparlerons de ce problème, d'accord?

— Je m'en voudrais de te forcer à dissiper ce superbe flou artistique, fit-il d'un ton maussade avant de raccrocher.

Elle resta un long moment assise sur le canapé, perdue dans ses pensées. Elle s'était acharnée tout l'après-midi, et jusque tard dans la soirée, à mettre à jour avec Carol toutes les paperasses de l'hôpital afin de chasser le Centre de son esprit. Néanmoins, elle le savait depuis le début : ses collègues ne la laisseraient pas hors de la mêlée. Du reste, pouvait-elle le leur reprocher ? Elle était concernée, elle aussi. Que le diable emporte Michaël Bradshaw ! pensa-t-elle avec irritation en se levant. Lui et ses tours de magie ! Et, tiens, comment s'y était-il donc pris pour subtiliser ses clefs de voiture ?... Quel toupet tout de même !

Evidemment, elle devait bien l'admettre, il l'impressionnait. D'ailleurs, il n'avait pas eu besoin d'exercer ses talents d'illusionniste pour cela. Quoi qu'elle fît, elle ne parvenait pas à chasser ses traits de son souvenir, ni son profil énergique, ni ses incroyables yeux topaze. Si seulement elle ne l'avait pas laissé flirter avec elle, tout serait peut-être plus facile à présent. Oh, elle aurait pu l'en empêcher si elle l'avait voulu. Mais voilà, elle avait trouvé son badinage plutôt agréable et elle n'était pas demeurée insensible à son charme.

En pénétrant dans la cuisine, comme on repousse un insecte importun, elle écarta délibérément le jeune homme de ses pensées.

La pièce était la plus vaste de tout l'appartement. Elle comprenait à la fois le coin repas et l'espace réservé à leur préparation où étaient installés les équipements les plus modernes. Au-dessus des plans de travail, des étagères supportaient d'innombrables pots à épices et divers livres de recettes, des casseroles de cuivre, des boîtes en vannerie, une collection de moulins à café anciens. Sur les tablettes des fenêtres, poussaient des fines herbes, de la menthe et des fleurs dans des bacs de terre cuite. L'ensemble était gai et chaleureux à souhait.

L'un des principaux plaisirs de Leslie était la préparation de bons petits plats. Se confectionner un repas de fin gourmet lui redonnait à coup sûr sa bonne humeur. Ce soir-là, elle avait envie de quelque chose d'exotique. Elle saisit son ouvrage favori, abondamment illustré de photos plus alléchantes les unes que les autres et se mit à consulter la table des matières. Soufflé de maïs ; poireaux à l'indienne ; œufs à la mexicaine...

La sonnerie du téléphone retentit à nouveau et elle décrocha le combiné fixé au mur.

— C'est à cette heure-ci que tu rentres chez toi ! dit son père d'un ton rébarbatif. Ta secrétaire ne t'a pas fait part de mes appels.

Leslie soupira.

— Mais si papa. Mais si tu voulais me joindre plus tôt, pourquoi ne m'as-tu pas appelée au Centre ?

Il ricana désagréablement.

— Où j'aurais dû décliner mon identité. Merci bien. Je n'ai pas du tout l'intention d'être associé à cet endroit. C'est déjà trop que ma fille y travaille. Enfin, heureusement, peu de gens le savent.

Suffisamment accoutumée aux manières brusques de son père pour ne pas s'en formaliser, elle feuilleta son livre.

— Comment va maman ?

— Très bien. Elle t'embrasse. Ses recherches sur la génétique sont en train d'aboutir et c'est assez excitant. Tu pourras lire un article là-dessus dans le prochain numéro du *Journal scientifique*.

Il fallait s'y attendre : la comparaison implicite et habituelle entre la carrière de Leslie et celle de sa mère ! Ah, mais elle n'allait pas se laisser décontenancer pour si peu !

— C'est merveilleux pour elle et pour toi, répondit-elle d'un ton suave. Et puisque tu me le demandes, tout va bien pour moi aussi...

Il ne releva pas l'ironie.

— Et combien de dieux as-tu exorcisés ces derniers temps ?

— On n'exorcise pas les dieux, seulement les démons. Et comme je ne suis pas entrée dans les ordres, j'ai peur de ne pas être qualifiée pour ce genre de besogne.

— Pas entrée dans les ordres ? Tu sembles pourtant avoir fait vœu de pauvreté, persifla-t-il. Je serais curieux de savoir combien tu gagnes actuellement.

— Oh ! Le service public ne nourrit pas son homme, c'est bien connu.

— Exactement ! déclara son père avec une note de triomphe. C'est bien ce que je disais : tu perds ton temps. Tout serait différent si tu dirigeais un service et...

Leslie pensa qu'elle s'était montrée patiente suffisamment longtemps. La moutarde commençait d'ailleurs à lui monter au nez.

— Pourquoi m'appelais-tu ? l'interrompit-elle.

Il était si sûr de lui, si autoritaire ce docteur Amos Roarke que rien ne l'atteignait.

— Je serai en ville le vingt. Je veux que tu viennes dîner avec moi, annonça-t-il d'un ton impérieux.

« En ville », cela voulait dire Washington, naturellement. Il ne condescendait pas à fréquenter les petites cités. Et tant pis si Leslie devait effectuer un trajet de deux heures pour le rencontrer. Que venait-il faire à Washington ? Assister à un congrès probablement. Il ne se serait pas déplacé juste pour la voir. Et il profiterait de l'occasion pour accomplir ce qu'il considérait comme un devoir : organiser une rencontre avec sa fille, une fois par an. La jeune femme se demanda comment elle réagirait si, par extraordinaire, il l'appelait un jour pour bavarder avec elle simplement ou pour lui dire qu'elle lui manquait. Allons, supposition purement gratuite : cela ne risquait pas d'arriver.

— Maman t'accompagnera ?

— Evidemment non. Elle est bien trop occupée. Moi-même j'aurai du mal à m'éclipser quelques heures du colloque.

Leslie étouffa un soupir : elle avait vu juste.

— Sept heures, à « La Terrasse », continuait-il. Et ne sois pas en retard.

Elle n'avait pas la moindre envie d'accepter ce rendez-vous. Pourtant, comment refuser de rencontrer son propre père ?

— Entendu, j'y serai.

— Et, pour l'amour du ciel, porte une jolie robe et maquille-toi.

Elle ravala une riposte cinglante et se surprit à se mordre nerveusement la lèvre. Face à son père, elle avait parfois l'impression d'avoir toujours douze ans.

— Au revoir, papa. A bientôt, fit-elle en raccrochant brutalement.

Elle prit une profonde inspiration et redressa les épaules. « Les mauvaises choses vont toujours par trois », disait-on ? Eh bien, entre Michaël Bradshaw, George et son père, le compte était bon. Elle pourrait être tranquille pour le reste de la soirée ! Un repas délicieux, un verre de vin français, un bon roman policier : le programme s'annonçait parfait. Tiens, les bonnes choses iraient-elles, elles aussi, par trois ?

Elle tourna quelques pages de son livre et une recette illustrée attira son attention : crevettes au cury. Exactement ce qu'elle souhaitait. Evidemment, elle aurait préféré des crevettes fraîches, mais il était trop tard pour sortir en acheter. Tant pis, elle se contenterait d'ouvrir une boîte et accorderait tous ses soins à la sauce.

En fredonnant, elle ouvrit ses placards et sortit ses ustensiles. Ses préoccupations envolées, elle était tout à la joie de préparer son dîner. Une seconde elle s'arrêta de chanter, une casserole dans une main, une cuiller en bois de l'autre. Qu'y avait-il au menu de Michaël ? se demanda-t-elle. Puis elle chassa bien vite cette pensée importune.

Ce n'était pas le *Queen Mary*, mais le petit yacht fraîchement repeint, presque complètement équipé et en état de marche tiendrait bien la mer. Et Michaël Bradshaw s'y sentait tout à fait chez lui.

Il avait profité de son après-midi de liberté pour transporter à bord tous les livres dont il aurait besoin durant l'été. Le rangement lui prit du temps : l'étroitesse des lieux le forçait à se montrer plus méthodique qu'il ne l'avait jamais été dans son appartement de Georgetown. Quand il eut terminé, il s'assit sur le pont en attendant l'heure du dîner. Les yeux perdus sur l'océan, il songeait à Leslie Roarke.

Elle occupait encore ses pensées lorsqu'un moment plus tard il entra dans la cabine pour préparer son repas. Il eut brusquement envie de crevettes au cury. La demi-livre de petits crustacés achetée le matin même conviendrait à merveille.

Sur ce bateau, la pièce à vivre, à la fois salon et chambre, était de dimensions modestes et meublée simplement. Deux fauteuils, une chaise, un petit bureau et un lit — tout de même suffisamment large et confortable pour y dormir à l'aise. Les murs, équipés d'étagères, semblaient tapissés de livres. Ils étaient simplement percés de deux hublots par où entraient les premiers rayons du soleil levant ou la brise fraîche de la nuit. Posés à même le plancher : un récepteur de télévision et une chaîne stéréo.

Par contre, rien ne manquait dans la cuisine fonctionnelle aussi bien agencée que celle de n'importe quel restaurant gastronomique. Dans l'esprit de Michaël, cela représentait un énorme avantage. Il avait appris à cuisiner très jeune et prenait beaucoup de plaisir à préparer ses repas.

Tout en décortiquant les crevettes avec une grande dextérité, il fredonnait sans y prendre garde et pensait toujours à Leslie. En fait, il se demandait pourquoi il ne parvenait pas à la chasser de son esprit. Elle n'était pas, loin de là, la femme la plus sexy qu'il ait jamais vue. Tout de même, il devait bien le reconnaître, il y avait une certaine grâce sensuelle dans la manière dont elle bougeait les mains, dont elle croisait les jambes, qui le touchait au plus profond de lui. Il connaissait nombre de jeunes personnes plus jolies qu'elle ; un simple coup de fil aurait suffi pour que l'une d'elles vînt passer la nuit avec lui. Mais il ne le souhaitait pas. Seule la compagnie de Miss Roarke lui manquait.

Son visage surtout lui plaisait, pensa-t-il. Un visage sensible qui trahissait une grande capacité de compréhension, de compassion, un réel sens de l'humour ; un visage qui incitait aux confidences, qui évoquait la tendresse. Et ses yeux ! D'une si jolie nuance de bleu, limpides comme un ciel d'été ou brusquement assombris et parcourus d'éclairs de colère.

Il sortit les couverts d'un tiroir. Pourquoi diable allait-il dîner tout seul alors que la femme la plus attachante qu'il ait jamais rencontrée habitait à une demi-heure de son bateau ?

Naturellement, il serait insensé de se rendre chez elle. D'une part, elle était sans doute encore furieuse contre lui et il fallait lui laisser le temps d'apaiser sa colère. D'autre part, elle n'était pas le genre de femme à aimer être bousculée. En dépit de l'assurance qu'elle affichait, il la devinait fragile, vulnérable, facilement effarouchée. Pour rien au monde il n'aurait voulu la brusquer.

D'un autre côté... il avait un travail à accomplir. Un travail important, autant pour elle que pour lui et pour le Centre lui-même. Si seulement elle parvenait à l'admettre.

Il ouvrit un placard et examina pensivement son contenu. Pour terminer un repas comme celui-ci il fallait quelque chose de léger, de frais... Une mousse au chocolat, tiens, ce serait parfait. Un large sourire apparut sur son visage. Il ne désirait pas la brusquer, c'était vrai, pourtant... il était vain de vouloir aller contre son destin.

« Dehors, le vent hurlait. Mais était-ce le bruit du vent ou celui d'une respiration ? Quelque chose d'énorme, de sombre, soufflant une haleine fétide s'approchait furtivement... plus près... encore plus près... »

Leslie laissa presque tomber le livre qu'elle lisait dans l'eau de son bain. Elle se releva brusquement, s'assit dans la baignoire tout en promenant autour d'elle un regard soupçonneux, et écouta attentivement. Ses sens lui jouaient-ils des tours ? Par la fenêtre entrouverte lui parvint un miaulement plaintif et le crissement du gravier de la cour, en bas de l'immeuble. Un chat, pensa-t-elle en haussant les épaules. Un chat, probablement poursuivi par un chien. Souriant de sa propre stupidité, elle se replongea dans l'eau mousseuse et parfumée, et reprit sa lecture.

Le dîner avait été délicieux, le téléphone n'avait plus sonné et le souvenir de Michaël Bradshaw ne l'avait effleurée que cinq ou six fois au cours de la soirée. Elle tourna une page et se dit qu'elle se sentait merveilleusement bien. En fait, il ne lui manquait qu'une simple petite chose : un dessert. Un pudding au chocolat par exemple. Il ne lui faudrait pas beaucoup de temps pour le préparer et, de la manière dont elle le confectionnait avec une crème épaisse et du chocolat rapé, il serait presque aussi succulent qu'une mousse.

« Le garçon se dissimula dans l'angle de la pièce, haletant. Son regard terrorisé fouillait l'obscurité. Soudain, dans le noir, un seul œil brilla... et le regarda... »

En frissonnant, Leslie referma son livre puis le déposa sur le tapis de bain. Lire à demi immergée dans l'eau tiède lui avait paru une bonne idée. Seulement, elle n'avait pas songé aux gouttes qui tachaient les pages ni aux bruits furtifs de l'immeuble qui ressemblaient décidément à des pas feutrés. Et puis, du reste, le moment était parfait pour se préparer son dessert.

L'instant suivant, après s'être essuyée énergiquement, elle enfila un court peignoir en tissu éponge. Elle laissa ses cheveux mouillés flotter librement sur ses épaules. Inutile d'employer le séchoir, pensa-t-elle en faisant une petite grimace à son reflet dans la glace. Certes, ce n'était pas très seyant, mais qui la verrait ? Elle ramassa son livre et quitta la salle de bains.

En traversant le couloir, elle sut que quelqu'un était entré chez elle. C'était une intuition vague, la sensation que quelque chose n'était plus tout à fait à sa place, rien de bien défini, juste une impression. Sur la pointe des pieds, tous ses sens en alerte, elle pénétra dans le salon. Aussitôt son regard fut attiré par la table basse.

Lentement, elle s'approcha. Deux bougies allu

mées, dans des bougeoirs de terre cuite, diffusaient autour d'elles une lumière dorée. Entre elles : une coupe de verre remplie d'une substance qui ressemblait à s'y méprendre à de la mousse au chocolat. Et, appuyé au pied de la coupe : un bristol blanc sur lequel était écrit en belles lettres gothiques à l'encre noire :

« Un petit cadeau.

Si vous souhaitez faire la paix, vous me trouverez sur le pas de votre porte. »

Leslie saisit délicatement la carte, la lut... et la relut trois fois. En hésitant, comme si elle craignait de voir disparaître la coupe si elle la touchait, elle trempa un doigt dans la préparation mousseuse et le porta à sa bouche. De la mousse au chocolat, on ne peut plus réelle ! Et délicieuse, de surcroît !

Avec résolution, elle traversa la pièce et alla ouvrir la porte d'entrée.

— Félicitations ! dit-elle sans préambule. Vous paraissez aussi habile pour pénétrer dans les appartements par effraction que pour vider les poches.

Michaël la regarda poliment.

— Pardon ?

— Vous m'avez volé mes clefs de voiture, accusat-elle.

— C'est drôle. Je me rappelle vous les avoir *données,* pas vous les avoir prises.

— Quelle gentillesse ! Vous les aviez subtilisées auparavant.

Il lui adressa un sourire persuasif.

— Simple petit tour de prestidigitation, ma chère, assura-t-il. Comment aurais-je pu m'y prendre autrement pour vous forcer à rester un peu auprès de moi ?

Puis, sans lui laisser le temps de répondre, il ajouta :

— Vous me permettez d'entrer ?

Question stupide ! Avait-il demandé la permission quelques minutes plus tôt ? Elle l'examina du coin de l'œil. Il avait troqué ses vêtements du matin contre un pantalon de flanelle gris clair et une chemise blanche aux manches négligemment roulées jusqu'aux coudes. Ses cheveux dorés étaient soigneusement peignés et brossés en arrière. Il paraissait net, soigné, élégant même, tout en étant décontracté. Les sourcils froncés, elle songea à sa chevelure humide, à son peignoir... Machinalement, elle renoua fermement la ceinture autour de sa taille. Bon sang, pourquoi n'avait-elle pas pris le temps de se faire un brushing avant de quitter la salle de bains ?

— Je vous en prie, répondit-elle d'un ton peu amène.

L'instant d'après, il pénétrait à sa suite dans le salon.

— La plupart des hommes auraient choisi une boîte de bonbons, remarqua-t-elle sèchement en se penchant pour allumer la lampe avant de souffler les bougies.

— Un peu trop banal, non ?

Elle sentait dans son dos le regard appuyé de Michaël et quand elle se retourna, il n'y eut plus aucun doute dans son esprit : il avait deviné qu'elle était nue sous son peignoir.

— Que voulez-vous ? demanda-t-elle d'une voix revêche.

Si son manque de courtoisie le surprit, il n'en laissa rien paraître. Il se tenait debout au centre de la pièce, l'air songeur.

— Pour l'instant, dit-il enfin, je pense que nous devrions nous efforcer de nouer de bonnes relations professionnelles. Et la seule façon d'y parvenir serait, à mon avis, que vous cessiez de m'en vouloir.

— Oh ! Pour l'amour du ciel ! lança Leslie. Jusqu'à nouvel ordre, le psychologue, c'est moi. Asseyez-vous !

— Merci, répondit-il poliment. Mais je ne vais pas rester. J'aimerais simplement que vous réfléchissiez à ceci : à quoi cela vous servira-t-il de me mettre des bâtons dans les roues ?

C'était une situation plutôt embarrassante : discuter métier en se sentant à moitié nue face à un homme terriblement séduisant ! Et en plus, qui avait raison. Elle s'était déjà posé cette question et y avait répondu.

— Vous savez déjà pourquoi je désapprouve votre arrivée au Centre, déclara-t-elle d'un ton neutre.

— Je sais seulement ce que vous m'en avez dit. Et j'imagine qu'il y a autre chose.

— Peut-être, en effet, admit Leslie. Mais vous devez comprendre. Nous avons entendu tellement de raillement, nous avons été confrontés à tant de scepticisme, que nous sommes devenus méfiants.

Il pencha légèrement la tête avec l'air de réfléchir

aux paroles de la jeune femme et elle trouva ce geste extraordinairement émouvant.

— Oui, bien sûr, je peux comprendre cela. Mais par contre, je ne peux pas concevoir que vous vous méfiiez de moi alors que nous travaillons tous les deux dans la même perspective : la découverte de la vérité.

Evidemment ! Cette idée aussi lui était déjà venue. Elle enfonça impatiemment les poings dans les poches de son peignoir et se dirigea vers la cuisine.

— Vous n'êtes pas intéressé par la vérité. Vous voulez seulement prouver votre fait. Eh bien, vous avez réussi.

Quelques instants plus tard, elle revenait, deux assiettes à dessert et des couverts à la main. Elle le regarda dans les yeux pour ajouter :

— Vous avez réussi : nous nous sentons inutiles, nous, scientifiques, en face de la magie.

Il lui sembla voir passer une lueur fugace dans les prunelles topaze.

— Je n'ai pas un cœur de pierre, vous savez, murmura-t-il.

Elle s'assit sur le bord du canapé et commença à servir la mousse au chocolat.

— Non ?

— Non, je ne le pense pas.

Il s'approcha avec la grâce et la rapidité d'un félin. Elle crut qu'il allait s'asseoir auprès d'elle mais quand elle lui tendit son assiette, il se contenta de la poser sur la table avant de prendre sa main et de la forcer à se lever.

Elle sentit les battements de son cœur s'accélérer, son souffle s'altérer et la seule pensée qui lui vint fut qu'il n'avait certainement pas envie de l'embrasser maintenant, qu'elle n'était guère séduisante dans son peignoir en éponge, avec ses cheveux humides et ses pieds nus. Les doigts de Michaël étaient chauds et fermes, son corps mince si près du sien... Ses lèvres s'ouvrirent d'elles-mêmes sans qu'elle sût pourquoi. Il lui adressa un sourire charmeur.

— Je vais passer un accord avec vous, docteur Roarke, dit-il. Vous vous efforcez de considérer mon travail sans parti pris et j'agis de même avec le vôtre.

Le corps de Leslie s'embrasait peu à peu et elle respirait avec difficulté. Comment s'y prenait-il donc pour la troubler à ce point ? Il la touchait à peine ; il n'avait pas esquissé le moindre geste ni prononcé la moindre parole équivoques et pourtant ses sens réagissaient aussi follement que s'il l'avait enlacée.

Elle ne pouvait pas s'abandonner ainsi ! Il lui fallait se ressaisir. Elle tenta de libérer sa main mais il la retint.

— Donnant, donnant, alors, fit-elle d'un ton qu'elle voulait calme et assuré. Soit ! Je n'approuve pas... mais dans la mesure où vous... n'interviendrez pas délibérément dans notre travail, je ne me mettrai pas en travers de votre chemin.

— Okay. Vous suivrez votre route et moi la mienne. Et nous verrons bien qui parviendra à la vérité en premier.

— J'aurai un œil sur vous.

— Ah, je l'espère bien, assura-t-il avant de libérer les doigts de la jeune femme.

Etait-elle soulagée ou désappointée ? En fait, elle n'en savait rien mais au moins pouvait-elle à nouveau respirer normalement.

— Ne goûtez-vous pas votre dessert ? demanda-t-elle en se retournant vers la table basse. Je peux préparer du café.

— Non, je vous remercie. Je ne vais pas m'attarder davantage. C'est tout ce que je voulais pour ce soir.

— Oh ! fit-elle en reposant l'assiette. Alors, en ce cas...

— Ne vous dérangez surtout pas pour m'accompagner, je sortirai comme je suis entré.

— J'espère que vous ne penserez pas...

Elle se retourna : la pièce était vide. Ça alors ! Une seconde plus tôt il se tenait là, derrière elle, il lui parlait. Et maintenant, plus personne... Décidément, il était très habile...

Un sourire mi-perplexe, mi-amusé sur les lèvres, elle s'installa confortablement sur le canapé et commença à déguster la mousse au chocolat la plus succulente qu'elle ait jamais mangée.

Finalement, l'été s'annonçait plutôt bien...

Chapitre 5

Agés d'une douzaine d'années, Karen et Kevin Gaynor se ressemblaient tellement qu'il était presque impossible de les différencier l'un de l'autre. D'autant qu'ils portaient les mêmes vêtements — jean, T-shirt, tennis — la même coiffure de page, et que leurs gestes, leurs expressions et leurs voix paraissaient identiques.

On les avait découverts lors de travaux de recherche sur le phénomène de télépathie chez les jumeaux et ils avaient retenu l'attention des scientifiques par leurs performances nettement plus élevées que celles des autres sujets. Comme ils semblaient aussi posséder d'autres facultés — notamment dans le domaine de la télékinésie — on leur avait demandé de passer tout l'été au Centre afin d'étudier leur cas plus avant.

Ils se trouvaient à présent dans le bureau de Leslie. Elle leur avait déjà posé bon nombre de questions et l'entretien commençait visiblement à les énerver.

— Dites, qu'est-ce que notre père vient faire dans

tout ça ? demanda Kevin en s'agitant sur sa chaise. Je pensais que vous vous intéressiez à nous. A nos dons.

— Ce qui m'intéresse, répondit Leslie patiemment, c'est de savoir pourquoi vous possédez ces capacités. Votre père est mort lorsque vous étiez petits, Kevin, et parfois une épreuve comme celle-là entraîne de grands changements chez les enfants. Karen et toi, vous êtes devenus plus proches l'un de l'autre, non ?

— Oh ! Je vous l'ai dit, nous avons toujours été proches. Nous avons toujours su ce que l'autre pensait. Mais, peut-être... en effet... Si vous voulez, avant, c'était comme une étincelle et après, c'est devenu comme une flamme.

Choix de mots tout à fait significatif, nota Leslie. Leur père était mort dans une explosion.

— Je voudrais vous demander quelque chose, docteur Roarke, intervint soudain Karen.

Elle se promenait dans la pièce depuis un moment, examinant les dessins accrochés aux murs, les livres sur l'étagère, l'air d'ignorer totalement la conversation. En fait, la jeune psychiatre le savait bien, rien ne lui avait échappé.

Elle saisit une photo posée sur le bureau, lui jeta un coup d'œil distrait et poursuivit :

— Vous croyez que cela va nous apporter quelque chose ? Je veux dire... c'est un endroit agréable pour passer l'été... mais quand vous aurez fini de nous étudier, qu'est-ce qui se passera ? Cela va nous valoir des avantages ? Par exemple, est-ce qu'on pourra écrire un livre et devenir riches et célèbres, ou je ne sais pas, moi... C'est tout de même bête d'être capable de faire des choses extraordinaires et de ne pas en tirer le moindre profit.

Seigneur ! Qui donc avait mis une idée pareille dans sa tête ? Avant leur arrivée au Centre, ils n'étaient que deux enfants charmants partageant un secret, et maintenant... Leslie était consternée.

Percevant sa désapprobation, Karen tenta de se justifier :

— J'ai vu des tas de livres écrits par des gens qui ne nous arrivaient pas à la cheville. Je... Ce n'est pas comme si nous brûlions d'envie de rester pauvres. Il n'y a rien de mal à vouloir améliorer sa condition, n'est-ce pas ?

« Brûlions ! » Encore cette référence au feu...

— Non, bien sûr, répondit gentiment Leslie. Mais cela risque de vous poser pas mal de problèmes.

Karen parut sceptique et Kevin s'empressa de changer de sujet de conversation.

— Nous essayons quelque chose de nouveau, docteur Roarke, lança-t-il. Mais nous ne montrons rien à personne avant d'être sûrs de réussir.

La jeune femme le regarda avec intérêt.

— Ah ? Tu peux au moins m'en parler, non ?

— Il ne vaut mieux pas, répondit Karen.

« Confusion d'identité ? nota Leslie sur son bloc-notes. A approfondir. »

— Je parlais à Kevin, Karen, rectifia-t-elle doucement.

Les jumeaux échangèrent un regard malicieux.

— Il ne vaut mieux pas, répéta docilement Kevin.

Leslie ne put s'empêcher de sourire.

— Très bien, je n'insiste pas.

Puis, reculant sa chaise et croisant les jambes, elle ajouta :

— Voilà. Ce sera tout pour aujourd'hui. Si vous...

Un léger coup frappé à la porte l'interrompit. Michaël entra sans attendre d'y être invité.

— Oh, pardon ! fit-il en s'arrêtant sur le seuil. Je ne vous savais pas occupée.

— Cela ne fait rien, nous avons terminé, déclara Karen.

Elle lui lança un regard étincelant.

« Tiens, tiens ! observa Leslie. Kevin n'apprécie pas l'attitude de sa sœur. Il se rembrunit à vue d'œil. »

— Bonjour, Michaël, continuait la petite fille d'un ton suave.

Elle semblait presque féminine tout à coup. Michaël lui plaisait, c'était évident. Et les yeux de son frère flamboyaient de colère.

— Ça va, les enfants ? s'informa Michaël.

— Nous devons partir, affirma Kevin en quittant brusquement sa chaise pour se diriger vers la porte. A bientôt, docteur Roarke.

Karen parut à la fois embarrassée et désappointée. Avant de partir, elle se retourna pour adresser un bref sourire au jeune homme.

— Vous avez fait sa conquête, commenta Leslie.

— Et il est jaloux comme un singe... Ils forment une drôle de paire, ces deux-là, répondit-il d'un air indifférent en s'asseyant sur la chaise libérée par le gamin.

— Vous ne semblez guère concerné...

Leslie referma le dossier « Gaynor » et se pencha pour le ranger dans le classeur métallique situé près de son bureau.

— ... il est vrai que vous avez probablement l'habitude de voir de jeunes personnes impressionnables tomber à vos pieds.

Elle se mordit les lèvres. Comment avait-elle pu laisser échapper une réflexion aussi idiote ? C'était puéril de sa part et, en plus, c'était reconnaître implicitement le pouvoir de séduction de Michaël. Elle se serait volontiers giflée. Ah, et puis, pourquoi sa seule présence la rendait-elle si nerveuse ? Peut-être simplement parce qu'elle ne s'était pas trouvée seule avec lui depuis l'autre soir, chez elle.

Il avait passé les jours précédents à se familiariser avec le Centre. On l'avait présenté à tous les collaborateurs et à tous les sujets comme étant un professeur de Georgetown passionné de parapsychologie venu passer l'été à la fondation en observateur et personne n'avait élevé d'objection. Au contraire. Chacun le jugeait fort sympathique et il avait même promptement gagné le respect des employés des divers laboratoires. Fidèle à sa parole, Leslie avait affiché une attitude tolérante et comme elle s'y attendait, Malcolm et George l'avaient finalement imitée. Michaël, quant à lui, s'était montré discret, réservé, posant un minimum de questions et ne se permettant absolument aucun commentaire.

— Oh ! Il y a bien vingt ans que les petites filles impressionnables ne tombent plus à mes pieds, fit-il avec un petit rire.

La mine embarrassée de la jeune femme semblait l'amuser prodigieusement.

— D'autre part, pour quelles raisons devrais-je me sentir concerné ? reprit-il. Ils ne vont pas me jeter un sort.

— J'espère simplement que votre présence ne compliquera pas les choses entre eux, observa-t-elle après un silence.

Puis, ôtant la cassette du magnétophone, elle le regarda avec suspicion.

— Vous n'avez pas d'aimant dans votre poche, aujourd'hui ?

Il lui adressa un large sourire et leva les bras.

— Fouillez-moi.

Très malin. Elle n'allait tout de même pas le prendre au mot ?

— Que voulez-vous ? interrogea-t-elle d'une voix qu'elle s'efforça de rendre calme et impersonnelle.

— Et pourquoi voudrais-je quelque chose ? Vous me manquiez, c'est tout.

Lui aussi lui avait manqué, aussi absurde que cela pût paraître. Toutefois, elle prit un air indifférent pour demander :

— Vous avez fait des découvertes intéressantes depuis votre arrivée ?

— A part vous, vous voulez dire ?

Décidément, il possédait l'art de la prendre au dépourvu !

Il saisit le coupe-papier posé sur le bureau, l'examina brièvement tandis qu'il s'installait plus confortablement sur sa chaise, les jambes croisées, comme s'il s'apprêtait à passer là un long moment.

Elle aurait dû froncer les sourcils, le menacer au moins du regard... mais ses yeux étaient irrésistiblement attirés par ses longs doigts nerveux, ses mains aussi fascinantes à contempler que le reste de sa personne.

Elle fit un effort pour se ressaisir et s'adressa à lui plus sèchement qu'elle ne l'aurait souhaité.

— A part moi. Vous n'avez pas oublié les motifs de votre séjour parmi nous, je suppose.

— Impossible ! fit-il, une lueur de malice au fond des yeux. N'ai-je pas un défi personnel à relever maintenant ? Rappelez-vous notre accord.

— Notre accord ne porte que sur une chose, il me semble : chacun poursuit sa route sans s'occuper de celle de l'autre.

Comment s'y prenait-il donc pour conserver une chevelure si épaisse, si brillante ? Un instant, Leslie se demanda — Oh ! simple curiosité de médecin — si elle était douce au toucher...

— Seulement cela, vous croyez ?

Il lui adressa un sourire énigmatique puis poursuivit, répondant enfin à sa question :

— En fait, je me suis contenté d'observer le fonctionnement du Centre et le travail de chaque membre de l'équipe. Vous êtes la dernière sur ma liste.

Charmant ! Un numéro sur une liste...

— Vous avez gardé le meilleur pour la fin ? ironisa-t-elle.

— En un sens. Mais ce que je garde *réellement* pour la fin n'a rien à voir avec la fondation... et c'est sans aucun doute le meilleur.

Seigneur! Il maniait les sous-entendus de main de maître. Et cet éclat dans les yeux topaze! Elle n'allait pas tarder à perdre son sang-froid. Déjà, elle avait oublié sa suspicion pour goûter le simple plaisir de sa compagnie. Mais non, elle ne devait pas le laisser glisser sur une pente dangereuse. Il lui fallait maintenir la conversation à un niveau « professionnel ».

— Et quelle supercherie flagrante avez-vous déjà découverte?

Il fronça les sourcils d'un air réprobateur.

— Pourquoi ce ton hostile, docteur Roarke? Je pensais que nous avions dépassé ça.

— Ce n'est pas de l'hostilité, juste de la curiosité.

Une fois encore les yeux de la jeune femme s'attachaient aux doigts de Michaël. Des doigts longs, délicats; des doigts faits pour caresser...

— Vous vous êtes montré terriblement secret, vous savez.

— Ah oui? Dans mon cas, il doit s'agir de déformation professionnelle.

— Mais vous appartenez vraiment à l'université de Georgetown?

— Cela vous étonne? fit-il avec un petit sourire en coin.

Elle haussa négligemment les épaules.

— Qu'enseignez-vous?

— « L'influence de la magie, du mysticisme et de la superstition dans la culture américaine », entre autres.

— Oh! Voilà qui ne me surprend pas, pour le coup. Dans le département sociologie?

— Non, anglais. J'ai oublié de citer une partie du titre de mon cours : « à travers la littérature de notre pays ». Il est si long...

Très intéressant ! Tout de même, Leslie ne l'imaginait guère en prof d'anglais.

— Vous exercez ce métier depuis longtemps ?

— Presque sept ans.

Elle ne l'écoutait plus. Les yeux rivés à ses mains, elle voyait le solide coupe-papier d'argent devenir aussi malléable qu'une vulgaire pâte à modeler puis s'enrouler sans la moindre difficulté autour de l'index de Michaël. Un instant, elle fut sur le point de protester mais se retint. Elle l'avait déjà vu faire des choses semblables par l'intermédiaire du miroir sans tain. Tout n'était qu'illusion ; un simple tour destiné à attirer l'attention. Eh bien, non, elle ne tomberait pas dans le piège, elle ne dirait rien.

Avec détermination, elle reporta son regard sur le beau visage du jeune homme. Il semblait impassible et naturel comme si rien ne troublait leur conversation. Très bien, elle jouerait au même jeu que lui ; elle *feindrait* d'ignorer totalement ce qui arrivait à son coupe-papier — un objet en argent massif, pourtant, dans la famille depuis soixante-dix ans !

Du ton le plus uni, elle interrogea :

— Et pourquoi avez-vous cessé de vous produire en public ?

Il rit doucement.

— Qui vous a dit que j'avais cessé ? J'ai simplement remplacé l'auditoire des salles par celui d'un amphithéâtre. Et je dois me montrer bougrement meilleur comédien. Rien de plus difficile que de

prétendre savoir quelque chose devant un parterre
d'étudiants décidés à vous prouver que vous ne savez
rien.

Leslie ne put s'en empêcher : elle lança un rapide
coup d'œil en coin sur ses mains : le coupe-papier
était tout à fait normal. Ah bon ! Elle laissa échapper
un imperceptible soupir de soulagement. Elle avait
dû rêver.

— De toute façon, reprit-il après une courte
pause, j'étais venu ici pour parler de vous, pas de
moi. Je connais maintenant le travail de chacun,
mais le vôtre ?

Il bougea légèrement sur sa chaise, croisa les
jambes un peu plus haut. Involontairement, l'attention de Leslie fut attirée par ce mouvement. Son
coupe-papier ! Une boule à peine plus grosse qu'une
balle de ping-pong ! Il la faisait rouler machinalement entre ses paumes.

Leslie se gratta légèrement la gorge. Le visage de
Michaël demeurait impassible. Du grand art, vraiment ! Elle était assise à un mètre de lui et elle ne
pouvait absolument pas deviner comment il s'y était
pris. Elle se força à lui répondre d'un ton naturel.

— Ma contribution est des plus modestes. Je
dresse des profils psychologiques, rien de plus. Je
vous ai déjà expliqué dans quel but.

Bon sang ! Un liquide visqueux, cette fois, voilà ce
qu'était devenu le coupe-papier de son arrière-
grand-père ! Une sorte de pâte, un ruban argenté,
qui glissait, qui coulait d'une paume dans l'autre.
C'était incroyable ; c'était inconcevable et pourtant
elle voyait ce prodige de ses propres yeux.

— Et pour les enfants Gaynor ? Vous avez trouvé quelque chose ? s'informa-t-il sans paraître remarquer son trouble.

Son expression ne reflétait qu'un intérêt amical et soudain Leslie comprit : il ne pensait absolument pas à ce qu'il était en train de faire. Certaines personnes tortillent machinalement une mèche de cheveux en parlant, d'autres se frottent l'arête du nez, Michaël, lui, occupait ses mains à des tours de magie. C'était pour lui aussi naturel que de respirer. « Inouï ! Absolument inouï ! » pensa-t-elle. Elle était terriblement impressionnée et le sens de sa question lui avait presque échappé.

— Que voulez-vous dire exactement ?

— Si vous avez terminé vos investigations, j'aimerais consulter leur dossier, dit-il simplement.

Brusquement, comme sous l'effet d'une douche froide, Leslie se retrouva confrontée à des problèmes purement pragmatiques. Plus question d'illusionnisme.

— Je vois, déclara-t-elle lentement. Vous allez commencer par le cas des jumeaux.

Il hocha la tête.

— Il faut bien commencer. Je suis là pour ça, non ?

Evidemment ! Elle comprenait parfaitement le choix du jeune homme : les Gaynor étaient leurs meilleurs sujets actuels. Mais, en même temps, pour d'obscures raisons, elle se montrait réticente. Et puis, d'ailleurs, il n'était pas médecin. Il n'appartenait même pas vraiment à l'équipe. C'était une question d'éthique. Elle reconnut cependant, dans son for intérieur, que l'éthique aurait été moins sévère s'il s'était agi d'un autre cas…

— Je ne peux pas vous le donner, Michaël.

— Vous voulez bien m'expliquer pourquoi ?

Ses motifs étaient plutôt vagues et son refus inutile, elle le savait bien. Il pourrait facilement s'emparer du dossier s'il le voulait, il avait prouvé son habileté. Néanmoins, elle lui objecta fermement :

— Ils sont mes patients et ce serait contraire à toute règle déontologique. Vous n'êtes pas…

— Vous aviez promis de ne pas me mettre des bâtons dans les roues, il me semble.

— Mais vous me paraissez tout à fait capable de parvenir à vos propres conclusions sans le concours de mes observations. Après tout, seul le côté technique vous intéresse. Les problèmes psychologiques des sujets n'ont rien à voir avec…

— En d'autres termes, vous ne me faites pas confiance. Vous me croyez incapable d'utiliser objectivement les informations, observa-t-il d'une voix douce amère, le visage indéchiffrable.

Elle avala sa salive avec quelques difficultés.

— C'est un peu plus compliqué que cela.

En fait, elle n'avait pas envie de l'aider à résoudre trop vite l'énigme Gaynor. Les jumeaux représentaient un sujet d'étude bien trop passionnant pour elle. Et puis, oui, il avait raison : elle ne se fiait pas entièrement à lui. Comment l'aurait-elle pu, d'ailleurs, alors qu'elle venait de le voir manipuler si facilement la réalité entre ses doigts agiles.

Sans même s'en rendre compte, elle avait posé la

main sur le classeur métallique, comme pour protéger les dossiers.

— Honte à vous, docteur Roarke, pour une si vilaine pensée. Je ne me permettrais pas d'employer mes talents de prestidigitateur pour prendre ce que vous ne voulez pas me donner...

Il leva légèrement un sourcil d'un air significatif.

— ... ce serait contraire à toute éthique.

Embarrassée d'être prise en flagrant délit de suspicion, elle remarqua sèchement :

— Vous avez pourtant subtilisé mes clefs de voiture. Et vous êtes entré chez moi sans ma permission.

Il balaya l'objection avec désinvolture.

— Aucun rapport. Que vous vous en soyez rendu compte ou non, vous souhaitiez me voir accomplir quelques tours, l'autre jour.

— Votre sens de l'éthique me semble plutôt tordu, grommela Leslie.

D'un rapide coup d'œil, elle s'assura que le classeur était bien à sa place puis retira sa main.

Il la considéra d'un regard pénétrant.

— Vous ne croyez en rien, docteur Roarke ? demanda-t-il avec une douceur désarmante.

Le coupe-papier ! En forme de cœur à présent ! Michaël le faisait tourner distraitement autour de son index.

— Et en quoi suis-je censée croire ?

Il lui adressa un sourire éblouissant et taquin à la fois.

— En moi, pour commencer.

Sans répondre, elle tendit la main délibérément vers lui.

Il parut d'abord déconcerté puis, ayant abaissé les yeux sur l'objet qu'il tenait, il le lui rendit en s'excusant.

— Oh ! pardon, murmura-t-il.

Ce n'était de nouveau rien d'autre qu'un coupe-papier d'argent, lourd, solide, parfaitement rigide...

A cet instant, la sonnerie du téléphone retentit et Leslie décrocha. S'étant levé paresseusement, Michaël se dirigea vers la porte.

— Nous reprendrons cette conversation plus tard, assura-t-il.

Ah non, il n'allait pas partir si vite ! Elle voulait savoir. Sinon, elle se connaissait, elle se poserait des questions tout l'après-midi.

— Attendez une minute.

Sans cérémonie, elle posa le combiné sur la table. Comme le jeune homme se retournait, elle pointa la lampe vers lui.

— Voulez-vous me dire, s'il vous plaît — juste pour satisfaire ma curiosité — comment vous avez fait ça ?

— Fait quoi ?

— Je vous en prie, ne jouez pas les innocents, répliqua-t-elle impatiemment. Mon coupe-papier. Vous aviez caché le même dans votre poche ou dans vos manches ? Vous vous étiez fabriqué un double sur le modèle de celui-ci ? Dites-moi comment vous vous y êtes pris, c'est tout.

Il sembla réfléchir un moment puis répondit :

— Non.

— Pourquoi? fit-elle mi-agressive, mi-incrédule.

— Parce que...

Il lui lança un clin d'œil et ouvrit la porte.

— ... certaines choses doivent être acceptées avec la foi du charbonnier.

Chapitre 6

Les vieux bâtiments de la fondation n'étaient pas équipés de l'air conditionné, bien entendu, et en début d'après-midi, l'atmosphère devenait étouffante dans les bureaux, même dans celui de Leslie situé pourtant au rez-de-chaussée. La jeune femme avait depuis de longues heures déjà ôté sa blouse blanche.

Elle passait à présent beaucoup de temps au Centre, sans toutefois négliger pour autant son travail à l'hôpital. Simplement, elle s'y rendait plus tard et terminait ses séances de thérapie ou ses consultations dans la soirée. La raison de ce nouvel aménagement de ses horaires ? Michaël Bradshaw, naturellement. Elle désirait — c'était tout à fait légitime dans l'intérêt de tous — s'assurer qu'il tenait ses promesses et ne s'écartait pas de sa route. En fait, bien que ce motif avoué fût important, il n'était pas le seul. Un autre, beaucoup plus personnel et tout aussi décisif la poussait : le désir de rencontrer le jeune homme le plus souvent possible.

Cet après-midi-là, elle avait rendez-vous avec l'un

de ses patients favoris. Elle s'était attardée à réécouter quelques enregistrements de ses entretiens avec les jumeaux Gaynor et il lui fallait à présent se dépêcher de ranger les cassettes aux archives avant de s'en aller. Aucune secrétaire ne la déchargerait de cette corvée.

La pièce où ils classaient leurs documents était très petite — jadis elle avait dû servir de chambre à un domestique de la plantation — et l'une des plus fraîches de tout l'immeuble. Perchée sur un escabeau, Leslie tendait le bras vers l'étagère supérieure quand elle sentit une présence derrière elle. Inutile de se retourner : elle savait qui se trouvait là.

Michaël se tenait nonchalamment appuyé au chambranle de la porte, observait avec un plaisir inattendu sa coiffure de collégienne. Le matin, il l'avait jugée plutôt sévère, lorsqu'il l'avait regardée de face, mais là, de dos... la petite queue de cheval lui semblait gracieuse et charmante. Et il découvrait pour la première fois les bras de la jeune femme dont il admirait le galbe et le léger bronzage. C'était incroyable, pensa-t-il, de se sentir à ce point obsédé par une personne dont il n'avait vu jusqu'à cette minute que le visage et les mains... Elle portait ce jour-là un fin corsage de soie bleue et un pantalon blanc qui s'arrêtait à la cheville, juste au niveau de la lanière de ses sandales à talons plats. Quelle femme précise et méthodique que ce docteur Roarke. Toujours nette et soignée, toujours parfaitement maîtresse d'elle-même. L'idée de lui faire perdre son flegme n'en était que plus excitante.

— Que voulez-vous ? interrogea-t-elle sans se retourner.

Michaël rit doucement. Il entra dans la pièce et repoussa du pied la porte derrière lui.

— Décidément, vous me posez tout le temps cette question, observa-t-il.

Tandis qu'elle rangeait la dernière cassette, Leslie sentait le regard du jeune homme dans son dos. Elle descendit prestement les quelques marches de l'escabeau et remarqua :

— Peut-être parce que vous vous ingéniez à me surprendre.

— Oh ! Je me demande si vous avez jamais été « surprise » dans votre vie, docteur Roarke. Vous êtes la personne la plus difficile à déconcerter que je connaisse.

Elle lui sourit gentiment.

— Le métier de psychiatre, probablement...

Seigneur, mais cette pièce s'avérait réellement minuscule ! Il suffisait de deux personnes pour en occuper tout l'espace. Comment allait-elle s'y prendre pour sortir sans effleurer Michaël ? A moins qu'il ne comprenne son embarras et ne la précède.

Elle attendait, impatiemment ; il ne semblait nullement pressé de s'en aller. Il la regardait sans ébaucher le moindre mouvement vers la sortie.

— Vous êtes venu ici pour une raison particulière ? interrogea-t-elle.

— Deux, en fait, répondit-il en souriant. J'ai besoin d'une cassette.

Il désigna l'étagère située derrière Leslie.

— Numéro 52. Cela vous gênerait de me la passer ?

Elle se retourna et tendit la main. Pas de cassette numéro 52. A sa place, une rose jaune qui, elle en était certaine, n'était pas là quelques secondes plus tôt. Une rose ! Elle la saisit délicatement, s'attendant à moitié à la voir disparaître et l'éleva jusqu'à son visage. Les pétales veloutés semblaient encore humides de rosée. La jeune femme ne put s'empêcher de sourire en respirant le délicieux parfum. Les roses jaunes avaient toujours été ses préférées. Avant Michaël, personne ne lui en avait jamais offert ; personne d'ailleurs n'avait jamais pris la peine de s'informer de ses goûts.

Ce cadeau — pourtant un simple tour de prestidigitation — la touchait énormément. Elle en recevait si peu ! Elle leva les yeux et rencontra le regard tendre du jeune homme.

— Vous êtes adorable quand vous souriez comme cela, observa-t-il d'une voix douce. Plus vulnérable, moins inaccessible. Voilà une bonne chose, Leslie.

Oh, non ! Certainement pas, elle le sut immédiatement. Pas à cette minute, pas à cet endroit, pas avec lui ! Pas quand ils se tenaient si près l'un de l'autre, leurs souffles confondus, la senteur de la rose mêlée à celle de l'eau de toilette de Michaël pour former un tout subtilement envoûtant... Promptement, elle baissa la tête et considéra la fleur.

— Où vous l'êtes-vous procurée ? demanda-t-elle négligemment.

— Si je vous le dis, toute la poésie disparaîtra, non ?

— Pas vraiment, répondit-elle. Une rose sent toujours aussi bon, qu'elle vienne de la boutique d'un fleuriste ou d'un petit jardin. J'étais simplement curieuse...

Une petite étincelle gentiment amusée dansait dans les yeux de Michaël quand il remarqua :

— Quel esprit positif et réaliste, docteur Roarke. Et si insupportablement logique. Il est aussi difficile de vous impressionner que de vous déconcerter.

— Oh, on peut toujours essayer de temps en temps, répliqua-t-elle d'un ton léger en avançant d'un pas.

Il lui bloquait le chemin. Plutôt que de tenter de se faufiler entre lui et l'étagère, elle s'arrêta et le regarda poliment.

— Vous désiriez autre chose ?

— Juste une seule, oui.

La dévisageant d'un air à la fois sérieux et pensif, il ajouta :

— J'ai décidé de devenir votre amant.

Une seconde, il eut la satisfaction de la voir interloquée. Tout sens de la répartie envolé, elle se borna à balbutier :

— Ici ?

Il rit en posant doucement ses mains sur ses épaules.

— S'il n'y a pas d'autre choix, je suppose que cet endroit conviendra parfaitement.

Pour une fois, elle demeura interdite. Elle qui pourtant n'avait pas rougi depuis des années, elle dont l'esprit vif l'aidait toujours à se sortir des situations les plus embarrassantes, elle dont la profession impliquait un sang-froid de tous les instants... sentit ses joues, son visage, son cou devenir écarlates !

Toutefois, elle se reprit rapidement. Elle s'écarta de Michaël, lui marcha sur les pieds pour atteindre la porte et saisir la poignée. Elle le tourna en vain, le vantail ne bougea pas. Après une autre tentative malheureuse, elle essaya de s'arc-bouter contre le battant afin de le pousser mais il résista. Elle se redressa alors, avala sa salive avec difficulté et fit face au jeune homme.

— Très habile, monsieur Bradshaw. Maintenant, voulez-vous être assez aimable pour ouvrir cette porte ? On étouffe ici.

— Oui, n'est-ce pas ? Elle est fermée ?

— Comme si vous ne le saviez pas ! fit-elle d'un ton uni. Vous l'avez verrouillée vous-même.

Il fronça les sourcils d'un air offensé.

— Je ne m'abaisse pas à ce genre de choses, docteur Roarke. Je n'ai même pas de clef.

Elle s'adossa au vantail et lui adressa un regard glacial.

— Très bien, Michaël. Mais les plaisanteries les meilleures sont les plus courtes. Expliquez-moi maintenant ce que vous vouliez et nous retournerons chacun à nos travaux.

— Je crois vous l'avoir déjà dit.

Il s'avança souplement et posa ses mains sur les montants de la porte, encadrant les épaules de Leslie. Il ne la touchait pas mais elle se sentait enveloppée tout entière dans la sorte d'aura tiède qui émanait de lui. Elle battit des paupières et une

lueur déterminée dans les yeux, l'informa d'une voix
ferme :

— C'est puéril et indigne de vous. Si vous croyez
que je vais supporter...

Les lèvres de Michaël se posèrent sur les siennes
avec une rapidité qui la prit au dépourvu et en même
temps une douceur qui la bouleversa.

Sa bouche était légère comme une aile de papil-
lon, chaude comme un soleil d'été. Elle n'éprouvait
aucune vélléité de résistance. Au contraire, elle se
rendit compte tout à coup qu'elle répondait avec
ardeur à ses caresses. Quand il l'attira contre lui, elle
noua instinctivement ses bras autour de son cou. Le
cœur battant la chamade, elle sentait la chaleur de
son corps l'envahir tout entière. « Seigneur ! C'est
merveilleux. Il est merveilleux » pensait-elle.

Il l'enlaça plus étroitement et sous son baiser
profond et investigateur, sa peau s'embrasait, son
sang palpitait dans ses veines. Il lui semblait qu'une
tempête l'emportait, un ouragan où elle se perdait,
où disparaissaient sa raison et sa conscience de la
réalité. Si tout cela n'était qu'une illusion, alors,
c'était la plus belle que Michaël ait jamais réalisée.

C'est à peine si elle se rendit compte qu'il cessait
de l'embrasser. En proie à une sorte de faiblesse,
privée de toute volonté, elle reposait pantelante
contre sa poitrine.

La main de Michaël jouait dans ses cheveux et
lorsqu'il se pencha pour effleurer sa joue de ses
lèvres, elle frissonna.

— Leslie... est-ce que vous ressentez ça, entre

nous... cette attirance ? C'est magique, murmura-t-il d'une voix enrouée.

Ses doigts caressèrent les épaules de la jeune femme puis descendirent lentement jusqu'à sa taille, frôlant imperceptiblement ses seins sur son passage. Elle devait se dégager de son étreinte, il le fallait !

— Le premier baiser est toujours excitant... expliqua-t-elle d'une voix faible.

Elle fut obligée de faire appel à toute sa force de caractère pour détacher ses bras du cou de Michaël.

— Mais ce n'est qu'une question d'hormones.

Il sourit et ses yeux parurent à la fois brillants et sombres, leur expression envoûtante.

— Et le second ? demanda-t-il, son regard brûlant posé sur les lèvres de Leslie. Est-il aussi... excitant ?

— En fait, balbutia-t-elle, une fois la nouveauté passée... Michaël, je... je ne pense pas que nous...

Il encadra son visage de ses doigts et sa bouche prit la sienne avec fièvre. Son baiser fut, cette fois, avide et exigeant. Non, ce n'était pas une illusion ! Le même désir violent les habitait. Les mains douces et savantes de Michaël effleurèrent sa peau nue sous son corsage, caressèrent ses seins, son dos, sa taille. Il lui semblait flotter hors du temps, dans un espace infini.

Puis, soudain, ce fut fini. La bouche du jeune homme quitta la sienne et les yeux topaze, assombris par la passion, plongèrent dans les siens.

— Je ne connais pas votre opinion, mais moi, je trouve cela terriblement agréable.

« Une minute de plus ! Une minute de plus et nous faisions l'amour ici, sur le plancher poussiéreux de

cette pièce. Et je n'aurais même pas protesté... »
pensa Leslie encore étourdie et légèrement tremblante.

Comme s'il avait pu capter ses pensées, Michaël
resserra son étreinte autour de sa taille et son regard
s'attacha au sien avec une intensité presque pal-
pable.

— Allons chez moi, Leslie... suggéra-t-il à voix
basse.

Elle avala sa salive avec difficulté. « Ne sois pas
stupide, ma fille » lui murmurait une petite voix,
tandis que les prunelles topaze la scrutaient avec
avidité. « Reprends-toi, que diable. » Elle déglutit
une nouvelle fois.

— Non, Michaël, répondit-elle enfin.

— Pourquoi ? demanda-t-il gentiment.

— Parce que...

Elle se sentait mieux à présent ; elle retrouvait peu
à peu son sang-froid.

— ... je ne partage pas le lit de tous ceux que je
rencontre.

Une lueur fugace passa dans les yeux du jeune
homme. Il était blessé, ou peut-être désappointé, ou
les deux à la fois. Mais que croyait-il donc qu'elle
allait dire ; que pensait-il qu'elle allait faire ? Elle
n'allait tout de même pas lui appartenir corps et âme
parce qu'elle avait passé un quart d'heure avec lui
dans un cagibi poussiéreux ! Un baiser était un baiser
et elle n'avait nullement l'intention d'ébaucher une
liaison avec cet homme.

— Moi non plus, dit-il en souriant tandis que ses
doigts caressaient voluptueusement la taille de

Leslie. Mais, ne voudriez-vous pas vous montrer un peu plus explicite ?

Quel sourire enchanteur il avait ! Et ses mains, absolument... magiques ! Elle se gratta la gorge avant de demander :

— Pourriez-vous... cesser de me toucher ?

Il s'exécuta presque aussitôt. Son regard exprimait la tendresse et la compréhension.

— Seulement parce que je souhaite entendre votre réponse à ma questionn, docteur Roarke, déclara-t-il tranquillement.

Puis il recula d'un pas. Leslie prit une profonde inspiration. L'air chaud sentait bon, à la fois la rose et l'eau de toilette épicée de Michaël. Il serait sans doute sage de quitter cette pièce au plus vite, songea-t-elle. Michaël était encore si proche, et sa volonté, qu'elle avait cru de fer, s'était révélé si malléable dans ses mains de magicien !

— Nous n'allons pas avoir une aventure, affirma-t-elle.

— J'adore quand vous prenez votre ton profes-sionnel, fit-il d'un ton gentiment railleur. Mais je n'envisage pas de vivre une aventure avec vous. Je rêve d'établir avec vous une relation longue et constructive.

— Ah, vous les hommes ! lança-t-elle avec dédain. On dirait toujours que vous pensez avec vos hormones. Nous en reparlerons quand vous serez sérieux. Ou pas du tout, ce qui serait encore mieux.

Puis, après une courte pause, elle ajouta :

— J'aimerais m'en aller maintenant.

Il la considéra d'un regard attentif et légèrement perplexe.

— J'étais tout à fait sérieux. Mais, dites-moi, qu'y a-t-il donc en vous qui vous pousse à douter ainsi de votre pouvoir de séduction ?

Ah, non ! Il n'avait pas le droit de se montrer si perspicace ! Elle répliqua d'un ton ferme :

— Mais je ne doute de rien.

— Vous croyez ! Vous intimidez tous les hommes, m'avez-vous dit. Ce n'est pas un hasard, Leslie, vous le faites à dessein. Pour vous protéger. Cela vous ennuie d'en avoir trouvé un qui ne se laisse pas impressionner ?

Elle poussa un profond soupir.

— Vous recommencez à jouer les psychologues.

— La moitié de la magie se passe dans le rêve, vous savez. Alors... magie, psychologie... il n'y a qu'un pas. Quand j'en aurai assez des tours de prestidigitation, je me reconvertirai dans la psychologie et... je vous ferai concurrence, dit-il avec un doux sourire.

Leslie se surprit à sourire à son tour. Il possédait tant de charme ! Comment demeurer fâchée contre lui ?

— Michaël, insista-t-elle gentiment. Nous sommes trop sensés, vous et moi, pour nous lancer dans quelque chose qui ne nous apportera que des désagréments. Nous devons travailler ensemble. Pire, nous ne travaillons pas tout à fait du même côté de la barrière. Une relation personnelle compliquerait terriblement les choses, vous le savez très bien.

Il la considéra pensivement. Quand il parla, sa voix fut aussi sérieuse que son expression.

— Nous allons nous côtoyer jusqu'à l'automne, Leslie. Ni vous ni moi ne pourrons attendre si longtemps, j'en ai peur.

« Moi aussi », songea Leslie. Avant qu'il ne lise ses sentiments dans son regard, elle détourna la tête.

— J'ai un rendez-vous à l'hôpital. Si je ne m'en vais pas immédiatement, je serai très en retard.

— Je vous accompagne.

— Ne soyez pas ridicule.

— Je veux passer le reste de l'après-midi avec vous.

— Personne n'assiste jamais à mes séances de thérapie, objecta-t-elle en tournant le bouton de la porte.

Mais celle-ci ne s'ouvrit toujours pas. Allons, tout n'était pas encore réglé entre eux, probablement.

D'une main légère, il arrangea derrière l'oreille de Leslie une mèche de cheveux échappés de sa petite couette. Puis, le regard empli de tendresse, il reprit :

— La complication de nos relations profession-nelles ne doit pas entrer en ligne de compte, à vrai dire. L'important est seulement de savoir si vous acceptez de croire à quelque chose, pour une fois. Au coup de foudre, en l'occurrence.

Il lui adressa un sourire à damner un saint et ajouta :

— Ce serait parfait, parce que moi, j'ai bien envie de tomber amoureux de vous.

Pour rompre le charme qu'il exerçait si subtile-

ment sur elle, elle rit nerveusement avant de répli-
quer :

— Finalement, me conduire simplement dans
votre lit se révélerait plus facile. Il faudrait un petit
miracle pour que je parvienne à vous aimer.

Les coins de la bouche de Michaël frémirent
légèrement, ses yeux pétillèrent. Il effleura d'un
doigt léger la joue de la jeune femme.

— Oh ! C'est tout ? Les petits miracles ne m'ont
jamais posé de problèmes. Seuls les grands demand-
ent plus de temps.

Il disait la vérité, elle en eut soudain la certitude.
Rien n'était impossible pour cet homme-là, elle avait
pu le constater à plusieurs reprises. Et il pourrait
tout aussi bien s'il le voulait, transformer sa vie si
paisible et si méticuleusement ordonnée en un chaos
indescriptible ; bouleverser complètement l'idée
qu'elle se faisait d'elle-même et l'abandonner pour
finir brisée et endolorie. Si Michaël Bradshaw
entrait dans sa vie, rien ne serait plus jamais pareil.
De cela aussi, elle était certaine.

— Laissez-moi partir, maintenant. Je suis terriblement en retard.

Il recula d'un pas, le regard à la fois tendre et
empreint de sympathie.

— La porte n'est pas verrouillée, Leslie, dit-il
gentiment. Elle ne l'a jamais été.

La jeune femme s'empressa de tourner la poignée : le vantail s'ouvrit facilement, en effet. Elle
sortit alors sans se retourner.

Chapitre 7

Tony Swan était un petit garçon de huit ans. Il adorait la télé — les films surtout — la musique classique, la couleur bleue et tous les objets en métal qui lui permettaient de produire le plus de tintamarre possible. Les lumières clignotantes le terrifiaient, de même que les blocs-notes à spirales et les toupies. Comme tant d'autres enfants autistes, il possédait une beauté presque mystique : des traits réguliers et finement dessinés, des cheveux sombres et surtout de grands yeux noirs qui semblaient contempler, au-delà des choses banales, un univers connu de lui seul.

Son type d'intelligence n'entrait dans aucune des classifications psychologiques couramment admises. Il n'était capable ni de lire ni d'écrire, toutefois sa mémoire visuelle était telle qu'il détectait les plus infimes changements dans une pièce : un coussin à peine déplacé sur un canapé ou un tableau légèrement de guingois. La progression de son langage semblait s'être arrêtée au stade du babil, pourtant il pouvait fredonner une aria entière sans manquer une seule note après l'avoir écoutée une fois seulement. Il reconstituait avec une rapidité prodigieuse toutes sortes de puzzles de formes géométriques mais il lui était impossible de reconnaître le moindre chiffre. Avec lui, pas question de se référer à la notion de « normal » pour mesurer les capacités de son cerveau. Il était vraiment très différent des autres patients de Leslie.

Cet après-midi-là, il était assis sur la moquette, dans le cabinet de consultation de la jeune femme, et se balançait lentement d'avant en arrière avec la régularité d'un métronome. Il examinait attentivement sa dernière création : des cercles concentriques composés de dominos en nombre régulièrement décroissant. Leslie savait que si elle avait pris le temps de tout mesurer, elle aurait trouvé des cercles de trois cent soixante degrés et des distances rigoureusement semblables entre les dominos. Pour accomplir un tel exploit, il lui aurait fallu une nuit entière et l'aide de divers instruments ; Tony, lui, l'avait réalisé en moins de dix minutes.

Assise devant le bureau de Leslie, Mme Swan considéra son fils d'un regard affectueux.

— On a peine à imaginer quel enfant il était il y a deux ans, lorsque nous l'avons amené ici pour la première fois, dit-elle. A cette époque-là, il était loin de pouvoir m'accompagner au guichet d'une poste et encore moins dans un magasin. La prochaine étape pourrait être le centre commercial.

— Il nous faudra l'y préparer d'abord, observa Leslie gentiment. Comment s'est-il comporté au supermarché, hier ?

— Très bien. Nous y sommes restés vingt minutes et au moment de sortir, le bruit des caisses enregistreuses a semblé lui plaire énormément.

Leslie approuva de la tête.

— Ses capacités d'adaptation s'améliorent petit à petit. Rien de tel qu'une grande surface, je m'en doutais. Il y a une précision mathématique dans l'arrangement des rayons que l'on ne retrouve nulle part ailleurs. Les génies du marketing se sont penchés là-dessus depuis longtemps et on sait bien que c'est d'abord l'inconscient des gens qui est sollicité. D'une certaine manière, nous ne sommes pas aussi différents de Tony que nous pourrions le croire, acheva-t-elle en souriant.

— Je voudrais vous remercier, docteur Roarke, reprit Mme Swan avec sincérité. Depuis que vous vous occupez de Tony, ses progrès ont été beaucoup plus rapides qu'auparavant.

Leslie avait pris en charge le petit garçon trois mois plus tôt, lors du départ du psychiatre qui l'avait suivi jusque-là. Au début, le changement l'avait traumatisé mais peu à peu, la jeune femme ayant su gagner sa confiance, il s'était avéré plutôt bénéfique. Toutefois, le chemin était encore long...

— Vous savez, presque tout le mérite lui revient, déclara-t-elle.

— Parfois, je me dis qu'après tout, il a peut-être une chance de mener une vie normale...

Apercevant le léger froncement de sourcils de Leslie, Mme Swan se tut.

— Nous étions convenues de ne pas attendre de

miracles, madame Swan, lui rappela-t-elle gentiment.

— Mais vous l'avez avoué vous-même : si nous
parvenions à déchiffrer son langage...

— C'est vrai, reconnut Leslie. S'il pouvait
communiquer avec nous, nous l'amènerions certainement à vivre dans notre monde plutôt que dans le
sien. Seulement... vous le savez comme moi, ce n'est
pas pour tout de suite.

Un instant, l'optimisme de la mère de Tony parut
s'évanouir, mais elle se reprit.

— On dit qu'Einstein était autiste, lui aussi. Et il
ne s'est pas mal débrouillé dans la vie, n'est-ce pas ?

« On » avait en effet répandu pas mal de bruits à
propos d'Einstein, pensa Leslie avec un demi-sou-
rire. Oh ! si croire à ce mythe aidait Mme Swan à
envisager l'avenir plus sereinement, pourquoi la
détromper ?

Après avoir considéré une nouvelle fois son fils, la
jeune femme lança à Leslie un regard timide et
hésitant tout en triturant la bandoulière de son sac.

— Docteur Roarke... vous n'imaginez pas à quel
point je déteste vous demander cela... mais je...
enfin...

Elle examina ses mains, prit une profonde inspiration et leva à nouveau les yeux vers Leslie, l'air très
embarrassée.

— ... Nous sommes invités demain, mon mari et
moi, à un pique-nique. Je n'aurais même pas envisagé d'accepter, mais... Tony va tellement mieux. Et
puis, c'est si dur parfois pour Jack et moi de ne
jamais sortir ensemble... Vous êtes la seule per-

sonne à qui je puisse le confier, et je me demandais... si vous... si vous seriez d'accord pour vous occuper de lui demain. Nous ne serions pas absents toute la journée, ni la nuit...

Comment refuser ? Tony avait déjà passé le week-end chez elle à trois reprises de sa thérapie ; il se sentait parfaitement à l'aise dans son appartement. D'autre part, les progrès accomplis risquaient d'être gâchés s'il se retrouvait seul avec des inconnus.

— Naturellement, je serai heureuse de l'avoir avec moi.

Un vif soulagement se peignit sur les traits de Mme Swan tandis qu'elle se levait.

— Vous êtes vraiment très gentille. Nous ne nous attarderons pas, je vous le promets. Je vous amènerai Tony ici, demain matin. Vers dix heures, d'accord ?

Leslie ayant acquiescé de la tête, elle ajouta rapidement :

— Et nous le reprendrons à cinq heures. Si ce n'est pas trop tard.

— Pas du tout, assura Leslie.

Mme Swan s'approcha de son fils pour lui suggérer gentiment :

— Il est temps de partir, Tony. Dis bonsoir au docteur Roarke.

Tony se balançait toujours, perdu dans son monde à lui. Quand sa mère lui toucha le bras, il sursauta violemment et se mit à hurler quelque chose dans son charabia.

Leslie quitta sa chaise pour aller se pencher vers lui.

— Je te verrai demain, tu sais. Tu viendras chez moi.

Aucune lueur de compréhension n'apparut sur le joli visage. Pourtant, Leslie en était certaine, les mots qu'on prononçait à son intention ne demeuraient pas pour lui vides de sens. D'ailleurs, comme pour lui répondre, il se mit à crier à tue-tête. Elle sourit à sa mère.

— A demain. Tony sera bien avec moi, ne vous inquiétez pas.

La jeune femme la remercia d'un sourire et entraîna Tony, toujours vociférant, dans le couloir.

Après leur départ, Leslie reprit sa place, derrière son bureau. Elle ne put s'empêcher de soupirer. Non de soulagement, mais de désappointement. Après avoir quitté Michaël, elle avait tout de suite rejoint sa consultation à l'hôpital et accaparée par son travail, n'avait plus songé à lui. Mais, maintenant...

« J'ai décidé de devenir votre amant ! » Rien qu'à évoquer cette phrase, elle sentait les battements de son cœur s'accélérer, sa peau s'embraser. Parfois les sous-entendus, les allusions s'avéraient être de puissants aphrodisiaques ; parfois c'était la franchise la plus brutale, au contraire, qui possédait un pouvoir érotique plus puissant que tous les mots murmurés à l'oreille ou tous les regards langoureux du monde. A l'évidence, Michaël maîtrisait à merveille les deux techniques !

Elle avait placé la rose jaune quelque peu défraîchie dans un petit vase sur sa table. Elle la saisit délicatement et en lissa rêveusement les pétales. Comment avait-il donc pu faire surgir cette fleur ?

C'était incompréhensible. Plus inexplicable encore, comment avait-il pu la bouleverser à ce point simplement en l'embrassant ? Parce qu'enfin, ce baiser, il ressemblait à ceux qu'échangent des milliers d'hommes et de femmes à travers le monde ; il ne différait pas de ceux qu'elle avait déjà reçus. Son effet était pourtant tout autre. Qui sait, Michaël avait peut-être raison sur un point : tout expliquer détruirait la poésie. Et ce serait terriblement dommage !

« Bon sang ! pensa-t-elle avec aigreur. Pourquoi les complications surviennent-elles toujours au moment où on s'y attend le moins ? »

En d'autres circonstances, elle avait accepté avec joie une brève liaison avec Michaël Bradshaw ; inutile de nier leur attirance physique réciproque. Seulement, dans la situation présente, partager le lit du jeune homme se révélerait à coup sûr désastreux. Certes, leurs relations sexuelles seraient merveilleuses, elle n'en doutait pas, mais toute intimité apparaîtrait vite comme impossible.

Il était, de toutes les manières, si différent d'elle qu'aucun terrain d'entente ne pouvait exister entre eux. Il semblait vif, enjoué, taquin, au contraire d'elle si circonspecte, si sérieuse. Il considérait la vie comme un jeu ; pour elle l'existence humaine, avec toute sa complexité, représentait le fondement de sa vocation de psychiatre. Et puis, surtout, demeurait l'épineux problème de la confiance. Comment se fierait-elle à lui alors qu'il avait passé la moitié de sa vie à se perfectionner dans l'art de la tromperie ?

Les rayons obliques du soleil près de se coucher

dessinaient des taches jaunes sur la moquette. La couleur des yeux de Michaël, songea-t-elle involontairement. Et par une association d'idées inattendue, elle se dit que la soirée se prêtait à merveille à la navigation dans la baie. Les vaguelettes scintilleraient dans la lumière du couchant ; les mouettes d'un blanc éblouissant sur le ciel bleu planeraient au-dessus du bateau ; les embruns auraient le goût des baisers...

Pour la seconde fois, elle imagina Michaël debout à la proue d'un voilier, les cheveux ébouriffés par le vent, les jambes nues, ses longs doigts manipulant les cordages. Puis, rapidement, elle chassa cette image. Non, elle ne voulait plus penser à lui !

Elle se força à reporter toute son attention sur la journée du lendemain. Et si elle conduisait Tony à la plage ? Ce serait assurément une grande aventure pour lui mais il était prêt à l'affronter. Et il adorait l'eau. Peut-être trouveraient-ils un endroit tranquille, sans trop de monde et trop d'agitation...

Comme chaque soir, à l'heure où le soleil se couche, Michaël était assis sur le pont de son bateau, un verre de jus d'orange glacé à portée de sa main. Il battait distraitement des cartes à jouer.

Soudain, il les étala sur une petite table placée devant lui : cinquante-deux cartes ; treize de chaque sorte. L'instant d'après, d'un geste précis et extrêmement rapide, il les ramassa, reforma le paquet, les mélangea et les déploya à nouveau en éventail : cinquante-deux cartes ; cinquante-deux valets de pique. Il les groupa une nouvelle fois, l'air absent et préoccupé. Il songeait à Leslie.

Lui avait-il réellement dit : « Je rêve d'établir avec vous une relation longue et constructive » ? Jamais auparavant il ne s'était risqué à une telle déclaration, lui qui mettait un point d'honneur à toujours se montrer d'une loyauté scrupuleuse dans la vie courante, lui qui plaçait l'honnêteté au-dessus de tout ! Les cartes bruissaient doucement entre ses doigts : cinquante-deux rouges ; puis cinquante-deux noires ; puis vingt-six rouges et vingt-six noires. Cinquante-deux trèfles ; battre, couper, cinquante-deux cartes entièrement blanches...

Il se souvenait de l'expression de son visage quand elle avait découvert la rose. Et son regard ! Confus, vulnérable, timidement reconnaissant... Ah ! il aurait dû remplir la petite pièce de roses jaunes, rien que pour revoir cet éclat de bonheur dans ses yeux. Oui, il aurait dû...

Il posa le jeu de cartes sur la table et commença à le diviser en cinq paquets de dix, laissant de côté l'as et le roi de trèfle. Ses doigts connaissaient le poids précis, la taille exacte, le toucher de chaque carte tout comme ils n'ignoraient plus rien de la douceur de la peau de Leslie, de la minceur de son corps, de la délicate musculature de ses bras, du galbe de ses seins, de la courbe de ses hanches... Seigneur ! comme il la désirait ! Il était fou.

Il saisit le verre de jus d'orange et de l'autre main retourna les cartes une à une : as de pique, roi de pique... Il eut une brève vision de la jeune femme en short, riant dans le soleil, pieds nus, ses cheveux couleur de blés mûrs décoiffés par le vent. Plus que tout, il voulait la voir ainsi, détendue, à l'aise, heureuse. Avec lui.

Avec une soudaine irritation, il rassembla à nouveau les cartes et les battit. Bon sang ! il ne pouvait pas croire... et pourtant, il avait pensé chacun des mots qu'il lui avait dits. Pire, il les pensait encore ! Il était réellement bien près de tomber amoureux de Leslie Roarke. Si ce n'était déjà fait...

Insensé ! pensa-t-il en hochant la tête. Elle avait raison, cela ne les mènerait nulle part. Leur conception de la vie semblait si différente. Pourtant, quand elle souriait, son cœur s'arrêtait de battre. Et quand elle le regardait, une expression à la fois circonspecte et tendre dans ses yeux bleus, il ne rêvait plus que de l'emprisonner, de la serrer dans ses bras jusqu'à la fin des temps.

S'il possédait un grain de bon sens, un seul, il se tiendrait loin d'elle. Mais tout un été ! Comment diable y parviendrait-il ?

Il jura à voix haute et envoya d'un geste brusque les cartes aux quatre coins du pont. Voilà dans quel état elle le mettait et ils se connaissaient depuis moins d'une semaine ! Avec colère, il lança à ses pieds la dernière carte qui lui restait. Machinalement, il lui jeta un coup d'œil : la reine de cœur.

Il sourit tristement. Une seule chose était réellement insensée, en fait : passer un week-end solitaire alors que la femme de sa vie habitait si près de là.

Oh, et puis après tout, pourquoi s'opposer à son destin ?

Leslie aidait le petit garçon terriblement excité à sortir de son Austin, le lendemain matin, quand une voiture de sport blanche, la capote baissée, prit place à côté de la sienne sur le parking situé près de son immeuble. Le conducteur, Michaël Bradshaw, lui adressa un signe de la main en même temps qu'un sourire éblouissant.

L'instant d'après, il contournait le capot et s'approchait d'elle. Vêtu d'un short blanc et d'un polo rouge à manches courtes, il ressemblait tellement à l'image qu'elle s'était faite de lui qu'elle se demanda un instant si elle ne rêvait pas.

— J'ai pensé que vous aimeriez passer la journée au bord de l'océan, déclara-t-il.

Sans même s'en rendre compte, Leslie lui sourit à son tour.

— C'est gentil à vous, répondit-elle d'une voix forte afin de couvrir les vociférations de Tony. Mais je suis occupée.

Elle lui désigna l'enfant.

— C'est Tony Swan, l'un de mes patients.

Michaël ôta ses lunettes sombres et instantanément le gamin se tut.

— Hello, Tony, fit-il d'un air engageant.

Ce disant, il lui tendit la main. Après seulement une seconde d'hésitation, Tony tendit la sienne et la lui serra. Jamais encore Leslie ne l'avait vu accomplir un tel geste.

— Moi, je m'appelle Michaël, poursuivit-il. Nous devrions joindre nos forces pour convaincre cette dame de nous accompagner à la plage, tu ne crois pas ?

Quelques mois plus tôt, Tony envoyait des coups de pieds à toute personne inconnue qui s'approchait de lui. Ce jour-là, la main de Leslie posée gentiment sur son épaule, il se contentait de dévisager Michaël en tortillant une mèche de cheveux autour de son index.

— Vous vous êtes déplacé jusqu'ici sans même savoir si je n'avais pas d'autres projets ? s'étonna la jeune femme. Il ne vous est pas venu à l'idée de me téléphoner d'abord ?

— Pourquoi ? Tout va pour le mieux, finalement.

— « Finalement », il se trouve que je suis très prise. Vous le constatez vous-même. Je vous remercie donc, mais...

— Tony n'aime pas l'eau ? l'interrompit-il.

Combien de fois, au cours de la semaine, Leslie avait-elle songé avec regret à la plage ? Le bruit du ressac lui manquait et la chaleur du soleil sur sa peau, et la douceur du sable sous ses pieds nus... Si elle ne s'était pas engagée à garder Tony sans doute serait-elle allée passer le week-end à la baie. Tentée d'accepter, elle hésitait cependant encore.

— Eh bien, j'avais presque décidé de le conduire au bord de la mer mais la foule l'effraie et...

— Alors je peux résoudre votre problème. Je connais un endroit absolument désert où nous serons seuls tous les trois, je vous le garantis.

Il devenait de plus en plus difficile de résister à la tentation ! Apparemment Michaël plaisait à Tony et puis... ce serait si agréable. Elle regarda le jeune homme pensivement puis hocha la tête avec décision.

— D'accord, dit-elle. Merci.

— J'attendrai, proposa-t-il. Si vous souhaitez d'abord monter chez vous.

— Monter chez moi ?

— Vous ne voulez pas prendre un maillot de bain ?

Leslie se mit à rire.

— Nous n'aurons certainement pas le temps de nager, ni vous ni moi, vous savez. Garder Tony n'est pas de tout repos.

— Quel dommage ! J'ai tenté de vous imaginer en bikini toute la semaine. C'est d'ailleurs la raison pour laquelle j'ai projeté cette sortie...

— La vie est pleine de petites déceptions, monsieur Bradshaw, répliqua-t-elle d'un ton gentiment moqueur.

Elle portait une large tunique indienne en coton rose et un pantalon blanc. En prévision de la chaleur, elle songea une seconde à les troquer contre une robe légère ou un short. Toutefois, pour d'obscures raisons, elle décida de n'en rien faire.

— Il faudrait peut-être songer au repas, observat-elle.

— Je m'en charge, assura-t-il.

Puis, lui prenant la main et la tirant légèrement vers lui, il ajouta, une lueur amusée dans le regard :

— Maintenant, si vous ne trouvez pas d'autre excuse...

Elle examina Tony. Il paraissait calme mais sa patience ne tarderait sans doute pas à voler en éclats.

— Je vous suis.

Michaël installa confortablement le petit garçon sur la banquette arrière puis, les cheveux au vent, ils prirent la direction de l'océan.

— Parlez-moi de Tony, suggéra soudain le jeune homme.

— Le diagnostic officiel est « autisme », expliqua-t-elle en cherchant ses lunettes de soleil dans son sac. C'est un terme fourre-tout qui recouvre en fait une grande variété de symptômes. Pour simplifier, disons que Tony est incapable de communiquer à quelque niveau que ce soit. Il vit littéralement dans un monde à part.

— Ce n'est peut-être pas une si mauvaise chose, murmura Michaël. Est-ce qu'il comprend ce qu'on lui dit ?

Elle prit le temps de chausser ses lunettes avant de répondre :

— De manière sélective. Comme la plupart des enfants, il entend et comprend seulement ce qu'il veut.

Puis, après une pause, elle se sentit contrainte d'ajouter :

— Il a des réactions imprévisibles quand il est placé dans des situations nouvelles. Vos nerfs sont solides, j'espère.

Dans le rétroviseur, Michaël rencontra le regard sombre et sérieux du gamin. Il lui lança un clin d'œil avant de répondre :

— Il semble tout à fait tranquille.

Il demeurait en effet assis sans bouger — il avait même cessé de tortiller ses cheveux — lui qui d'ordinaire supportait si mal les voyages en voiture.

— Oui, il est dans l'une de ses périodes de calme. Cela ne durera pas longtemps.

Désireuse de mettre à profit les heureuses dispositions du petit garçon, elle se tourna vers lui et entreprit de le faire jouer avec ses doigts. D'habitude, Tony adorait ce genre d'occupation — tout ce qui impliquait des manipulations le fascinait — mais ce jour-là, il se montra réticent. Rien ne l'intéressait, hormis cet étranger assis derrière le volant. Il paraissait même totalement fasciné par Michaël, par le son de sa voix, par les mouvements de sa tête, l'éclat de ses yeux qu'il captait de temps à autre dans le rétroviseur.

Quand ils descendirent du coupé, Tony dégrafa prestement sa ceinture de sécurité et sauta à terre sans lancer le moindre coup d'œil à la jetée. Il contemplait toujours le visage de Michaël.

— Vous pensez louer une embarcation ? interrogea Leslie.

Ce serait parfait, songea-t-elle. Mais en même temps, elle ne pouvait se défendre d'une certaine appréhension : comment réagirait Tony assis dans un si petit espace et entouré d'eau ?

— Non, répondit Michaël.

Puis, s'accroupissant devant Tony, il s'adressa à lui :

— J'ai besoin d'un second très fort pour m'aider à conduire mon petit yacht. Qu'est-ce que tu en penses, moussaillon ? Ça te plairait ?

— Oh, Michaël ! fit Leslie ravie. Vous avez votre propre bateau ?

— Mmm, mmm, acquiesça-t-il en levant la tête

pour lui sourire. Le moteur chauffe dès qu'on tente de filer plus de quatre nœuds mais il nous conduira sans problèmes jusqu'à une petite crique que je connais pas très loin d'ici.

Reportant son regard sur le gamin, il interrogea :

— Alors, prêt à embarquer, moussaillon ?

Machinalement il chaussa ses lunettes de soleil, mais avançant la main, Tony les lui ôta.

— J'ai compris ! s'exclama Leslie en riant, heureuse d'avoir enfin percé le mystère. Ce sont vos yeux !

Michaël la regarda d'un air perplexe avant de faire une petite grimace.

— Oh, oui... Ils sont affreux, n'est-ce pas ?

— Affreux ? fit-elle surprise, tandis que les prunelles sombres de Tony demeuraient fixées à celles de Michaël. Extraordinaires plutôt. Vous ne les aimez pas ?

— Je les déteste. Vous êtes la première femme qui ne m'ait pas dit : « Qu'est-il arrivé à vos yeux ? »

Curieux tout de même ! Ce qu'elle avait toujours considéré comme sa caractéristique physique la plus remarquable était justement celle dont il avait honte. Il est vrai qu'elle le connaissait bien peu.

— Tony pour sa part semble les trouver magnifiques... et si vous voulez savoir la vérité, je n'ai jamais pensé quant à moi qu'ils étaient laids.

Un instant attachés aux siens, ces yeux couleur de miel fondu, si doux, si tendres, exprimèrent tant de choses non dites que Leslie sentit son cœur battre la chamade. Avant que la gêne ne s'installe entre eux,

Michaël se tourna vers Tony, puis, le hissant sur ses épaules, s'exclama :

— Allez, marins d'eau douce, nous allons lever l'ancre. Tout le monde à bord !

Chapitre 8

Leslie suivit Michaël jusqu'au petit yacht fraîchement repeint en bleu et sur lequel se détachait, en lettres blanches : « Annabelle Lee ». Sans en avoir l'air, les yeux dissimulés derrière les verres sombres de ses lunettes, elle observa le jeune homme en l'interrogeant :

— Une vieile amie ?

— Un vieux poème, corrigea-t-il. J'ai toujours adoré Edgar Poe.

— Je vois, murmura-t-elle.

Elle était un peu inquiète au sujet de Tony. comment allait-il réagir lorsqu'il se verrait sur la passerelle ? Mais il était si occupé à observer de tout près le visage de Michaël qu'il ne prit pas garde à ce qui l'entourait. Michaël sauta sur le pont, déposa le gamin à côté de lui avant de tendre la main à Leslie.

Jamais elle ne l'avait vu si détendu, si heureux. L'énergie qui émanait de lui, la grâce de ses mouvements, le charme de son sourire semblaient à cet instant encore plus attirants. Ses prunelles topaze s'assombrirent une fraction de seconde lorsque leurs doigts se touchèrent. Puis, il détourna la tête et suggéra :

— Vous pourriez peut-être descendre tous les deux dans la cabine. Voir de l'eau en mouvement si près de lui risque d'impressionner Tony, j'en ai peur.

Surprise par tant de perspicacité, Leslie s'empressa d'acquiescer. De toute évidence, le petit garçon quittait Michaël à regret, toutefois il n'émit aucun cri de protestation lorsqu'ils descendirent l'étroite échelle conduisant à la pièce à vivre.

A quoi s'attendait-elle en montant à bord ? La jeune femme ne le savait pas exactement. Un petit yacht de plaisance aménagé succintement dans le but d'effectuer quelques croisières d'un jour ou deux, probablement. Une fantaisie de célibataire aisé, en quelque sorte. Et elle ne découvrait rien d'autre qu'un minuscule appartement très confortablement agencé.

Immédiatement, Tony s'installa devant l'écran de T.V. Il parut ne percevoir ni le bruit du moteur ni le léger roulis, captivé qu'il était par les images. Pendant qu'il chantait à tue-tête — dans son charabia habituel — les airs accompagnant les spots publicitaires, Leslie explora la pièce avec un intérêt croissant. Une pièce chaude et confortable, remplie de livres. Des séries noires, quelques best-sellers, divers ouvrages de référence sur la littérature américaine et surtout, surtout, des bouquins traitant des problèmes d'occultisme, de rites, de mysticisme et de magie. Au passage, elle lut quelques titres : *Sorcellerie dans les Etats du Sud; Anciens rites magiques des tribus indiennes; Les secrets du Shaman; La vie de Houdini...*

Rien d'étonnant, en fait, dans ses choix! Sa profession expliquait ses évidentes préoccupations dans ce domaine très particulier. Ses deux professions. Car il n'était pas seulement enseignant à l'université... Combien de temps s'était-il complètement immergé dans l'essence même de la magie pour être devenue aussi habile? Toute sa vie, à n'en pas douter.

Elle se souvenait de la manière dont il manipulait son coupe-papier, sans y penser, juste pour occuper ses mains. La prestidigitation était devenue pour lui une seconde nature, presque une fonction naturelle et indispensable comme respirer ou dormir.

En dessous des étagères consacrées aux livres, un espace était réservé au classement des disques et des cassettes-vidéo. Des films d'aventure pour la plupart. En matière de musique, les goûts de Michaël s'avéraient plus éclectiques: de Mozart à Willie Nelson, en passant par Abba ou Franz Zappa. « Une place pour chaque chose et chaque chose à sa place », pensa Leslie en souriant. Quelle ingéniosité il avait fallu déployer pour ranger tant d'objets dans un si petit espace! Un espace qui ne semblait nullement encombré, simplement occupé à bon escient et décoré avec beaucoup de goût.

Pourtant, aussi attrayant que fût le living, la pièce la plus fascinante était sans conteste la cuisine. Rien n'y manquait, ni les robots les plus sophistiqués, ni les ustensiles les plus pratiques, ni les appareils ménagers dernier cri, ni les placards bien garnis.

Une véritable merveille ; la concrétisation des rêves de tous les gourmets. Elle supplantait même, et de loin, celle de Leslie.

Après en avoir admiré chaque détail, la jeune femme était retournée au salon où elle parcourait une nouvelle fois les titres des livres quand soudain son attention fut attirée par un petit coffre à l'apparence tout à fait banale posé sur le sol au pied du lit. Tiens, tiens ! La boîte à malices, sans aucun doute. Poussée par la curiosité, elle se baissa pour soulever le couvercle. Naturellement, il était verrouillé.

Très bien, M. Bradshaw, elle ne l'ouvrirait donc pas. Mais elle en devinait sans peine le contenu : des foulards, des chapeaux à double fond, des fleurs en papier... Oh, et puis oui, évidemment, des accessoires beaucoup plus sophistiqués, elle le reconnaissait à contrecœur. La clef, en fait, qui permettait de découvrir les secrets de Michaël. Elle les imaginait plus ou moins, ces objets, mais il n'empêche, elle aurait bien aimé les voir, les toucher comme si le seul fait de les tenir dans sa main pouvait l'aider à mieux comprendre leur propriétaire.

Entendant les moteurs s'arrêter, elle lança un dernier regard maussade au coffre si bien fermé puis s'approcha de Tony avec l'intention de le conduire sur le pont. Comme à l'accoutumée, le gamin se débattit, se défendit bec et ongles quand elle voulut l'éloigner de l'écran de télévision pourtant vide. Pauvre Tony, il ne disposait que de ce moyen pour exprimer sa frustration. Leslie le savait bien, c'est pourquoi elle tentait de le convaincre d'une voix ferme mais pleine de douceur. Sans y parvenir toutefois.

— Que dirais-tu d'un peu d'air frais et de soleil, Tony ? interrogea soudain Michaël entré sans bruit dans la pièce.

S'accroupissant devant lui, il le prit par la main. Le gamin se calma immédiatement. L'instant d'après, il s'appuyait avec confiance à l'épaule du jeune homme.

— Le contact magique ? murmura-t-elle.

— Peut-être, répondit Michaël.

Il ébouriffa affectueusement les cheveux de Tony puis, les yeux pétillants, il reprit :

— Ce doit être ça, en effet. Une thérapie remarquable. Vous devriez l'essayer.

— Oh, je suis tout à fait consciente des bienfaits de ce genre de traitement.

« Surtout quand c'est vous qui l'appliquez » ajouta-t-elle mentalement. Au simple souvenir de ses caresses, son cœur s'affolait. Mieux valait changer de sujet de conversation !

— Vous vivez vraiment ici ? interrogea-t-elle en lançant un regard circulaire autour d'elle.

— Mmm Mmm. Durant l'été au moins. Mais j'aimerais que ce soit de façon plus permanente.

Il sortit des verres et une bouteille de jus de fruits.

— Mon rêve secret a toujours été de faire le tour du monde, confessa-t-il avec un sourire timide. Je doute que cette coquille de noix me le permette mais... c'est un début. Voulez-vous du vin ?

— Volontiers.

Comme c'était étrange. Elle l'avait toujours imaginé sur un bateau...

— Et pourquoi ne le faites-vous pas, ce tour du monde ?

— Ma chérie, je ne suis pas milliardaire, déclarat-il avec un petit rire. J'ai déjà englouti toutes mes économies, et même davantage.

« Ma chérie » ! Leslie adorait la manière dont il avait prononcé ce mot, le plus naturellement du monde, comme s'il l'avait appelée ainsi toute sa vie.

— Comment ? le taquina-t-elle. Le grand magicien ne peut pas se procurer quelques petites centaines de milliers de dollars ? Je suis très déçue.

Il lui tendit un verre de vin blanc très frais.

— En fait, j'y parviendrais certainement. Seulement, ce serait plutôt illicite et pas très... ethique, acheva-t-il une lueur malicieuse au fond des yeux.

— Parce qu'il y a une éthique dans votre profession ?

— Il y en a une dans ma *vie*.

Le plus grand sérieux avait remplacé la malice dans son regard et elle ne sut que répondre. Il la tira d'embarras en s'adressant au petit garçon.

— Viens, Tony, fit-il avec un signe de tête enthousiaste. J'ai aperçu un ban de poissons dans les environs. Allons voir de quoi il s'agit.

Leslie les suivit en souriant. De vrais poissons ou quelque chose sorti de sa boîte à malices ?...

Le bateau était ancré dans une petite anse accessible seulement par la mer. Michaël avait dit vrai : ils étaient seuls. Excité par l'éclat de l'océan, Tony courait d'une rambarde à l'autre, babillant à tue-tête. Le jeune homme lui parlait calmement et affectueusement, il lui désignait les poissons, lui nommait les plantes sauvages de la côte, lui expliquait les différences de teintes de l'océan, sans se laisser rebuter par le fait que le gamin ne comprenait pas toutes ses phrases et qu'il couvrait parfois sa voix de ses cris assourdissants.

Leslie était très étonnée. Pas tellement par l'infinie patience, la tolérance et la concentration dont Michaël faisait preuve, en fait ; ces qualités semblaient naturelles chez lui. Simplement, elle ne l'avait jamais imaginé capable de renoncer à une journée de détente pour s'occuper d'un enfant difficile et surtout capable d'y prendre plaisir.

Quand il alla s'asseoir à côté d'une petite table et commença à battre négligemment un paquet de cartes, Tony cessa son babillage et le suivit comme si un fil invisible les reliait.

— Ah, Ah ! fit Michaël en lui souriant. Ainsi un tour de passe-passe te plairait, hein ?

Elle s'approcha, amusée, et regarda les longs doigts du jeune homme mélanger les cartes avec une rapidité prodigieuse. Elle adorait voir bouger ses mains ; ses mains superbes et si adroites.

Sans quitter Tony des yeux, tout en battant, coupant, rebattant, Michaël commença son boniment.

— Regarde bien, Tony, tu vas assister au plus incroyable tour de prestidigitation jamais vu dans le monde, présenté pour la dernière fois à la cour de la Reine d'Angleterre et auparavant transmis de générations en générations depuis qu'un membre très distingué d'une société hautement secrète l'a inventé parce qu'il s'ennuyait dans son chateau d'Ecosse. Regarde bien...

Il présenta les cartes en éventail.

— ... tu remarqueras que le paquet est complet, que chaque carte est à sa place...

Il les mélangea de nouveau.

— ... Ce secret m'a été révélé par une merveilleuse gitane qui... Nous reparlerons de ce détail quand tu seras un peu plus grand. Maintenant, observe de tous tes yeux.

Il déploya les cartes sur la table : cinquante-deux as de pique !

Tony les examina d'un air apathique, sans émettre le moindre son.

— Un peu trop nouveau pour lui, peut-être ? interrogea Michaël en lançant un coup d'œil à Leslie.

— Peut-être.

Pour sa part, elle aurait bien aimé revoir ce tour. A aucun moment elle n'avait pu surprendre l'escamotage.

Avec des mouvements quelque peu maladroits et exubérants, un babillage redevenu assourdissant, Tony rassembla les cartes. Michaël le considérait avec amusement. Toutefois son sourire indulgent se transforma en stupéfaction quand le gamin coupa, mélangea, présenta les cartes pour montrer que le jeu était normal, battit encore puis déposa sur la table... cinquante-deux as de pique.

Le regard effaré du jeune homme alla alternative-

ment de l'enfant aux cartes, des cartes à l'enfant.
Enfin, après un silence, il murmura :

— Eh bien, il sait tout, ce gaillard-là !

Leslie partit d'un énorme éclat de rire.

— J'aurais dû vous prévenir, c'est un vrai petit
singe.

Lui adressant un lumineux sourire, il quitta son
siège et y assit Tony.

— Okay, moussaillon. Voilà quelque chose qui va
t'occuper un moment, je crois.

— Des heures, observa Leslie. Il n'a aucune
notion du temps.

Michaël saisit son verre avant d'entraîner la jeune
femme à la poupe du bateau où ils s'accoudèrent à la
rambarde.

— Vous êtes vraiment très gentil avec lui, remarqua-t-elle avec l'accent de la sincérité. Et c'est très
chic à vous d'avoir renoncé ainsi à votre samedi.

— Je l'aime bien, répondit Michaël simplement
en observant le gamin. Et qu'est-ce qui vous fait
croire que j'ai renoncé à quoi que ce soit ?

— Quand vous avez envisagé de passer la journée
en mer avec moi, vous n'aviez pas d'autre projet ?

Il parut offensé.

— Vous me jugez bien mal, docteur Roarke. Je
ne pense pas toujours avec mes hormones, vous
savez.

Subtil rappel de sa phrase de la veille ! Elle ne se
laissa pas démonter pour autant.

— Ah non ? Alors, qu'aviez-vous en tête quand
vous vous êtes arrêté devant chez moi ?

Le regard toujours posé sur Tony, il répondit :

— Mille folies, évidemment.

Puis, se tournant vers elle, une expression impénétrable sur le visage, il ajouta :

— J'ai exactement ce que je souhaitais : votre compagnie.

— Pourquoi ? interrogea-t-elle avec curiosité.

Il eut un petit rire et but une gorgée de jus de fruits avant de répondre :

— Décidément, voilà une question que vous posez souvent ! Celle-ci et « comment ? ».

— C'est mon métier, fit-elle avec léger haussement d'épaules.

— Connaître toutes les réponses enlève tout attrait à l'existence, docteur Roarke.

— Mon but n'est pas de découvrir les attraits de l'existence, mais la vérité.

Il y eut une brève pause.

— Etes-vous sûre de savoir exactement ce que vous cherchez ? reprit Michaël avec un sourire forcé. Quand vous l'aurez découvert, la vie deviendra peut-être plus agréable pour nous deux. En attendant...

Il vida son verre et s'écarta de la rambarde.

— ... Je ferais bien de rendre la journée plus agréable pour nous tous en allant préparer le repas.

— Vous avez besoin d'aide ? proposa-t-elle, terriblement tentée d'essayer les équipements de la cuisine.

— Non, ce n'est pas la peine. Restez-là et gardez un œil sur mon petit copain. Je n'en ai pas pour longtemps.

Elle retint un sourire. Apparemment, la responsabilité de Tony était passée imperceptiblement de ses épaules à celles de Michaël ; apparemment, l'autorité naturelle du jeune homme pouvait avoir du bon...

Il dressa le couvert sur le pont et leur servit une merveilleuse salade de homard au riz accompagnée de la sauce la plus délicieuse qu'elle ait jamais goûtée. Tandis que Tony constituait méthodiquement des petits tas de différentes couleurs sur toute la surface de son assiette, elle tenta par toutes les ruses possibles d'en percer le secret, sans toutefois y parvenir. Une amicale complicité s'était établie autour de la table et quand Michaël apporta des sandwiches au gamin — trop enchanté par son œuvre pour accepter de la manger — il échangea avec la jeune femme un regard plein de chaude tendresse.

Après le dessert, comme il insistait pour se charger seul de la vaisselle, elle s'installa confortablement sur un transat. Elle se sentait choyée, dorlotée comme jamais et éprouvait un bien-être inespéré. Tony, quant à lui, après s'être emparé avec détermination du jeu de cartes, retourna à son occupation favorite.

— Tony pourrait peut-être se baigner ? suggéra Michaël à son retour.

— Pas si tôt après le repas, objecta-t-elle.

Le ton « familial » de leur dialogue la fit légèrement sourire. Lui, le père enthousiaste et elle, la mère protectrice !

Michaël se laissa tomber sur la chaise longue voisine de la sienne. Il n'avait pas chaussé ses

lunettes à la grande joie de Tony et dans la lumière
éblouissante, ses yeux paraissaient encore plus
clairs. Il semblait perdu dans la contemplation de
l'océan et Leslie profita de l'occasion pour examiner
ces prunelles — si détestables de son point de vue à
lui, si merveilleuses à son avis à elle. Elle pouvait se
perdre, rien qu'à les contempler. Elle se souvenait
de leur expression, la veille, quand ils avaient
échangé leurs baisers, elle les revoyait brillantes de
malice lorsqu'il la taquinait, ou pensives et même
intimidées aux moments les plus inattendus. Et elle
les imaginait ardentes de passion, rivées aux
siennes... quand ils feraient l'amour.

Afin de se distraire de ses pensées, elle dit très
vite :

— Nous apprécierions beaucoup une aide comme
la vôtre à l'hôpital, vous savez. Si vous avez un peu
de temps à donner...

Le regard de Michaël quitta l'océan pour se poser
sur elle.

— Attention, je pourrais vous prendre au mot.
J'avais pourtant l'impression d'être plutôt un embarras pour vous au Centre.

Elle haussa les épaules, soudain mal à l'aise.

— Nous savons tous les deux en quoi consiste
notre différend professionnel, Michaël.

— Mais pas notre désaccord personnel, suggéra-t-
il doucement.

Incapable à cet instant de se rappeler en quoi
consistait leur « désaccord personnel », elle choisit
de ne pas répondre. Délibérément, elle se tourna

vers Tony qui accompagnait ses manipulations d'exclamations bruyantes et joyeuses.

— Je donnerais cher pour comprendre ce qu'il dit, remarqua-t-elle avec un sourire un peu triste.

— Ou ce qu'il entend, acquiesça Michaël. Ou même ce qu'il voit. Dans quel monde fascinant il doit vivre !

— Mais terriblement solitaire.

Leurs yeux se rencontrèrent de nouveau, pleins d'une mutuelle compréhension. La solitude, l'un et l'autre la connaissaient ! Ce fut un échange tendre et poignant qui bouleversa Leslie au plus profond d'elle-même.

— Nous nous isolons tous de différentes manières, je suppose, observa Michaël simplement.

Embarrassée, elle détourna la tête.

Après un silence, Michaël alla rejoindre le gamin à sa table de jeux et elle ferma les paupières. Jamais auparavant elle ne s'était classée dans la catégorie des gens solitaires, et elle n'aurait d'ailleurs pas songé à appliquer ce terme à Michaël non plus. Seulement, la solitude, c'était le genre de choses dont on ne prenait conscience qu'en expérimentant le contraire. Avant l'intrusion de Michaël Bradshaw, sa vie lui paraissait heureuse, occupée, bien remplie. Elle n'avait aucune idée de ce qui lui manquait. Mais maintenant...

Bercée par le léger roulis du bateau, le bruit régulier des vaguelettes se brisant sur la coque, alanguie par la chaleur du soleil, elle s'endormit. Quand elle se réveilla, elle crut rêver.

Michaël avait repris sa place auprès d'elle. Il était

paresseusement étendu sur sa chaise longue, les yeux protégés par ses lunettes noires. Pour tout vêtement il ne portait que son short blanc. Elle referma un instant les paupières puis les rouvrit. Non, ce n'était pas un rêve ! Michaël était bien réel. Plus que jamais il ressemblait à un grand chat sauvage lézardant au soleil.

Son regard dissimulé derrière les verres sombres de ses lunettes, elle demeura parfaitement immobile et le contempla. Il avait versé un peu d'huile solaire dans sa paume et, la tête rejetée en arrière, enduisait sa peau déjà bronzée. Sa main glissait sur son cou, sur sa gorge, laissant une traînée brillante sur son passage, puis dessina des cercles sur ses épaules. Quand il tendit un bras et qu'elle le vit effleurer distraitement ses muscles, elle sentit des picotements au bout de ses doigts. Il versa ensuite un peu de produit bronzant dans la main gauche et l'étendit de la même façon sur son bras droit. Fascinée, elle suivait chacun de ses mouvements.

L'instant d'après, la paume de Michaël se promenait lentement sur sa poitrine, descendait vers sa taille, traçait des lignes entrecroisées sur son ventre plat. La gorge sèche, Leslie percevait les battements précipités de son cœur. Une douce chaleur — tout à fait indépendante de celle du soleil — envahissait son corps.

— Vous aimeriez m'aider pour le dos ?

Seigneur ! Depuis quand la savait-il éveillée ? Il pouvait très bien s'être livré à ce petit jeu uniquement pour la troubler... Comment ne pas admettre qu'il avait parfaitement réussi ? La colère, l'amusement et l'embarras se mêlaient en elle. Très bien, Michaël, pensa-t-elle. Elle dissimula un sourire derrière un bâillement exagéré et s'étira avant de répondre d'un ton somnolent.

— Non, merci. Je crois que vous en tirerez très bien tout seul.

Il revissa le bouchon de la bouteille d'huile et lui adressa une petite grimace légèrement ironique.

— Et vous ? Vous n'allez pas avoir trop chaud avec tous ces vêtements ? Je vous prête un vieux maillot de bain, si vous voulez.

Elle eut un petit rire. Puis, soudain, elle se redressa sur son siège, avec un regard circulaire.

— Où est Tony ?

— En bas. J'ai eu peur qu'il souffre de la chaleur sur le pont. Quand je l'ai quitté, il était assoupi devant un film de Superman. Il va probablement dormir une heure ou deux.

Elle laissa échapper un soupir de soulagement et reprit sa position à demi allongée sur le transat. Deux constatations lui vinrent alors à l'esprit. D'abord, elle avait été si absorbée par la contemplation de Michaël qu'elle en avait presque oublié Tony. Ensuite, elle se sentait si bien, si en confiance auprès de lui qu'elle s'était permis de s'endormir en lui laissant la garde de l'enfant dont elle était responsable. C'était incroyable ! Elle ne se reconnaissait pas... Etait-ce une bonne chose, ou non ? A cet instant précis, elle pensa que oui, finalement, c'était une très bonne chose.

— Superman, tiens ! Laissez-moi deviner... votre

héros. Vous avez toujours voulu devenir Clark
Kent ?

— A vrai dire, non, répondit-il le plus sérieusement du monde. J'ai toujours voulu devenir James
Bond.

Machinalement elle saisit le verre de vin posé à
côté d'elle tout en remarquant :

— Et avec 007 pour modèle, vous êtes devenu
magicien ?

— Oui, très facilement. J'ai trouvé la meilleure
façon de l'imiter avec moitié moins de mal et sans le
moindre risque. Ne buvez pas ça, Leslie ça vous
rendrait malade, c'est chaud maintenant. Je vais
vous en chercher un autre.

Avant qu'elle pût protester, il lui avait pris le
verre des mains et avait disparu.

— Il dort bien, dit-il à propos de Tony dès qu'il
revint.

Il servit Leslie avant de se réinstaller sur son siège,
un verre de jus de fruits à la main.

— Vous ne prenez pas de vin ? demanda-t-elle.

— Jamais entre les repas. Les Anciens le considé-
raient comme une nourriture, vous savez, et je pense
qu'ils avaient raison.

Elle but une gorgée et regarda Michaël à la
dérobée.

— C'est l'ingrédient secret de votre sauce ?

— Vous ne le saurez pas, fit-il avec un large
sourire.

— Oh ! Vous êtes impossible. Coffres verrouillés,
recettes secrètes...

— Ah, Ah ! On a essayé d'entrer dans ma malle

aux trésors. Vous ne savez donc pas ce qui arrive aux gens qui ouvrent des boîtes fermées ?

Il plaisantait, bien sûr, pourtant Leslie ne put s'empêcher de se tenir sur la défensive.

— Mais je n'ai pas essayé de l'ouvrir. Et d'ailleurs, pourquoi avez-vous jugé bon de la cadenasser ? Elle ne contient que des accessoires, n'est-ce pas ?

— Tout cela vous aurait captivée ; vous auriez voulu tout comprendre, tout analyser, tout expliquer. Et... je veux être le seul à vous captiver.

— Très infantile de votre part, Michaël Bradshaw.

Il inclina modestement la tête.

— Merci pour la consultation, docteur Roarke.

Leslie étouffa un petit rire.

— Dites-moi, reprit-elle. Vous n'avez pas répondu à ma question, l'autre jour. Pour quelles raisons avez-vous cessé de vous produire en public ?

Il parut réfléchir un moment avant de répondre :

— La télévision.

— Quoi ?

— La télé, les films... le téléphone, même. Sans parler des ordinateurs, fusées, navettes spaciales et autres satellites... Honnêtement, est-ce que vous comprenez leur fonctionnement ? Non ; mais vous les acceptez comme faisant partie de la vie de tous les jours. Plus personne n'est émerveillé par les mystères. Ils sont si imbriqués à la réalité qu'il n'y a plus de place pour la magie.

— Mais vous avez dû terriblement travailler pour devenir aussi habile que vous l'êtes. Et vous continuez à pratiquer. Alors, pourquoi, si vous pensez ne plus jamais donner de représentation ?

— Un jour, j'ai lu une histoire, à propos d'un ancien voleur de bijoux. Il a consacré les dix dernières années de sa vie à monter en détail le coup du siècle et quand finalement il est passé à l'exécution, personne n'en a rien su. Vous savez pourquoi ? Parce qu'il a tout remis en place avant qu'on se soit aperçu du vol. Ni l'argent, ni la célébrité ni le risque ne l'intéressaient. Il avait simplement besoin de voler.

Il haussa légèrement les épaules avant d'ajouter :

— Pour un vrai magicien, c'est un peu la même chose. La magie n'est pas une technique, ni un art, ni un métier — c'est une partie de lui-même, de son âme j'imagine. Et il continue à la pratiquer longtemps après que les applaudissements se sont tus parce que quelque chose en lui le pousse, parce qu'il y est obligé, en quelque sorte.

— Le grand illusionniste serait-il désillusionné ?

— En un sens, peut-être. Pas par la magie elle-même, mais parce que l'âge des miracles est passé. J'aurais sans doute été plus heureux si j'avais pu vivre au temps de Merlin.

— C'est bien possible, acquiesça-t-elle.

Il feignit la stupéfaction la plus vive.

— Comment, docteur Roarke ? Ai-je bien entendu un jugement profond autant qu'hâtif sortir de votre bouche ? Il ne résistera pas aux investigations minutieuses menées selon les méthodes scientifiques, vous savez.

— Oh! répliqua-t-elle avec un sourire. J'ai dû rester trop longtemps auprès de vous.

Il leva son verre de jus de fruits et le fit tinter contre celui de la jeune femme.

— Alors buvons à la continuation d'une très mauvaise habitude.

Exactement! admit-elle avec une sorte de résignation. Exactement ce qu'il était en train de devenir pour elle : une mauvaise habitude — dangereux de vivre avec, impossible de vivre sans. Elle ne le comprenait pas mieux que lors de leur première rencontre, ne le connaissait guère mieux non plus, mais il lui plaisait. Il lui plaisait infiniment! Une flamme s'était allumée entre eux, suffisamment vive pour masquer leurs différences et c'était un peu effrayant. Elle n'aimait pas se sentir aveugle et précisément, elle avait l'impression d'être une aveugle marchant dans un couloir avec pour seul guide la main de Michaël... et cette main pouvait à tout moment s'échapper.

Comme s'il avait perçu les doutes qui se formaient dans un petit coin de son esprit et voulait les dissiper, il choisit ce moment pour saisir ses doigts entre les siens, si chauds, si doux. Puis il se pencha pour examiner sa paume.

— Très intéressant, dit-il pensivement.

— Quoi?

— Votre ligne de vie.

D'un index léger, il suivit un sillon dans la paume de Leslie puis lui présenta la sienne.

— Regardez, elle correspond exactement à la mienne.

Comme sa main était large et forte à côté de celle de la jeune femme ! Et douce aussi. Impossible de ne pas l'imaginer sur sa peau...

Elle eut un petit rire nerveux.

— Je ne connais rien à la chiromancie.

— Mais regardez, insista-t-il. Si nous accolons nos mains, de cette manière, nos lignes de cœur se confondent.

— Mmmm...

Elle feignit l'intérêt, s'attendant à ce qu'il entrecroise leurs doigts, mais il n'en fit rien. Au contraire, il retourna sa main et étudia de nouveau sa paume.

— Eh bien ? interrogea-t-elle au bout d'un moment.

Il releva la tête vers elle et esquissa un sourire. Tandis que ses doigts jouaient dans sa paume, l'effleuraient, la caressaient, il expliqua :

— Extrêmement révélatrice, votre ligne de cœur. Le choc le plus important de votre vie émotionnelle vient seulement de se produire et si vous survivez, l'amour que vous avez découvert sera suffisamment fort pour durer une vie entière. Ce ne sera pas facile, ajouta-t-il sérieusement. Mais ça vaudra la peine.

Elle avala sa salive avec difficulté. Au lieu du ton léger qu'elle aurait voulu employer, sa voix n'était qu'un murmure quand elle demanda :

— Est-ce que... est-ce que vous pouvez me dire si... je survivrai à ce prétendu choc ?

Portant doucement sa main à ses lèvres, il y déposa un baiser léger.

— Je ne suis pas omniscient, ma chérie. Et il y a

toujours un élément imprévisible : le choix de la personne.

Instinctivement, les doigts de Leslie caressèrent ses joues, son menton, sa bouche. Son souffle s'altéra quand elle sentit le bout de sa langue les effleurer puis tracer un chemin jusqu'au creux de sa paume.

La sensation était si bouleversante qu'elle dut fermer les yeux. Plus que tout au monde, elle souhaitait sentir la caresse de cette bouche sur son visage, sur sa gorge, sur ses mains... Elle était sur le point d'étreindre la nuque de Michaël, de l'attirer vers elle quand soudain elle se souvint de Tony endormi dans le salon.

— Nous... nous allons devoir partir, dit-elle avec difficulté. La mère de Tony doit venir le rechercher à cinq heures.

Un long moment, Michaël retint sa main captive de ses doigts. Il tournait vers elle un visage pensif. Comme elle aurait aimé savoir ce qu'il pensait, ce qu'il éprouvait, mais son expression était indéchiffrable.

— Nous pourrions le déposer... et revenir ensuite, suggéra-t-il. Je vous laisserai jouer dans ma cuisine.

Oh, oui ! Le clair de lune dansant sur la mer, un dîner aux chandelles et puis... Il n'était pas difficile de deviner ce qui viendrait après.

— Je... je ne sais pas prendre de décisions impulsives, Michaël.

Pour la première fois, elle fut heureuse que les verres sombres des lunettes de Michaël voilent ses yeux topaze. Elle ne souhaitait pas y lire ses pensées...

— Je sais, dit-il en laissant échapper un imperceptible soupir. Et je me suis promis de vous laisser tout le temps qu'il vous faudra.

Lui adressant un pâle sourire tendu, il ajouta :

— C'est gentil de ma part, non ?

Sans lui laisser la possibilité de répondre, il déposa sa main avec précaution sur le bord du transat et disparut dans la timonerie.

Un instant plus tard, elle entendit le vrombissement des moteurs.

Chapitre 9

Ils se tenaient tous les cinq dans le laboratoire-bureau de Michaël. Sur l'écran défilaient les images de la dernière performance des jumeaux Gaynor enregistrée sur vidéocassette. On pouvait voir les deux enfants, la même expression tendue dans le regard, fixer un poids d'un demi-kilo posé sur la table qui les séparait. Le poids frémit, lévita doucement, puis demeura suspendu une seconde à une dizaine de centimètres au-dessus du plateau de bois avant de retomber brusquement. Sans un mot, Michaël éteignit l'appareil et traversa la pièce pour gagner une table absolument identique où était posé le même poids. Il resta quelques instants immobile, les mains dans les poches, apparemment concentré. Le poids bougea, s'éleva lentement, resta une seconde comme suspendu dans les airs, puis s'écrasa sur la table avec fracas.

Il avait réussi à reproduire ainsi chacun des exploits des adolescents. Malcolm et George commençaient à paraître nerveux ; Winston, les sourcils froncés, mâchonnait le bout de son crayon ;

quant à Leslie, elle se sentait sur le point de perdre patience.

— Ce n'est pas que nous n'apprécions pas vos talents monsieur Bradshaw... commença Malcolm.

— Pour l'amour du ciel, intervint George avec colère, vous nous prenez pour des idiots ? Vous croyez que nous n'avons rien vérifié ? Toutes ces expériences ont été menées sous contrôle scientifique...

Se tournant pour leur faire face, Michaël déclara calmement :

— Cette dernière prouesse peut être réalisée sans levier ni poulie. En fait, sans aucun équipement détectable par vos instruments.

— En ce cas, intervint Leslie, voulez-vous être assez aimable pour nous montrer *comment* elle a été exécutée. Ainsi nous ne referons pas la même erreur.

Leur sortie en compagnie de Tony avait eu lieu près d'une semaine plus tôt et depuis lors, ils s'étaient très peu vus. Ils se saluaient chaque matin, mais sans prendre la peine de bavarder et lorsqu'ils se rencontraient dans un couloir, Michaël lui adressait un bref signe de tête. Il était très occupé, elle le savait. Et elle aussi. S'étant persuadée que moins elle le verrait mieux ce serait, elle avait notablement réduit le nombre de ses heures de présence au Centre. Quelle chimie étrange que celle de l'instinct ! Sans la présence de Tony, ce jour-là, elle n'aurait pas résisté à la tentation. Et elle l'avait regretté, elle en était sûre... Elle se demanda s'il n'éprouvait plus rien pour elle ou s'il en était venu à admettre le bien-fondé de sa décision.

Il lui sourit. Et c'était plus fort qu'elle, quelque chose la poussait à lui rendre son sourire.

— Comment elle *pourrait* être exécutée, oui, très facilement.

Puis, s'adressant aux deux scientifiques et à Winston, il expliqua :

— Un contrôle électronique à distance, tout simplement. Vous remarquerez que Kevin a toujours gardé les mains dans les poches. Une impulsion suffit et rien n'est décelable sur vos instruments.

Leslie avala sa salive avec difficulté. Malcolm et George échangèrent un regard en s'agitant nerveusement sur leurs chaises.

— C'est ce que les jumeaux ont fait, vous êtes sûr ?

— Non, répondit Michaël doucement. Je n'ai pas dit cela du tout.

— Alors, qu'avez-vous dit, nom d'un chien ? s'emporta Winston.

— Que voulez-vous comme preuve ? insista Malcolm. Qu'on fasse déshabiller complètement les enfants, qu'on les enferme dans une pièce hermétiquement close ?

D'un ton rageur, il poursuivit à l'adresse de Winston :

— J'étais contre tout ça depuis le début. Bon, j'ai accepté tout de même... et qu'y gagne-t-on ? Rien. Des possibilités, c'est tout.

A demi assis sur la table, les bras croisés sur la poitrine, Michaël observa :

— J'avais promis de n'émettre aucun jugement hâtif, il me semble. Et nous étions d'accord là-dessus. Bien. Parlons donc des possibilités, docteur Jorgenson. Je vous ai montré comment toutes les performances des jumeaux pouvaient être reproduites — je n'ai jamais dit qu'elles étaient faciles à réaliser. Il nous faut savoir si, oui ou non, leur esprit en est capable à lui seul.

Les yeux topaze se posèrent sur Leslie.

— Madame le psychiatre, voulez-vous nous dire quel est leur Q.I. ?

Elle hésita un instant. Evidemment, elle aurait fait gagner beaucoup de temps à Michaël en lui donnant le dossier quand il le lui avait demandé. Mais, sa décision avait été la bonne, elle le pensait encore. Et elle n'avait pas envie de lui répondre. Qu'il se débrouille par ses propres moyens ! Seulement, là, au milieu de ses collègues, il lui était impossible de refuser.

— Assez brillant à tous les deux. Quelques points de plus pour Kevin que pour Karen. Et... Kevin est un crack en électronique.

Elle s'attendait un peu à un éclair de triomphe dans le regard doré, à une remarque du type : « je vous l'avais bien dit », voire à un haussement d'épaules ; il se contenta de hocher pensivement la tête, en silence.

— Ecoutez, Michaël et vous tous, déclara brusquement Winston. Je ne veux pas intervenir dans votre travail mais il est temps que je vous révèle quelque chose : nous subissons des pressions de la part des autorités et si nous ne sommes pas capables de publier quelques résultats bientôt...

— Publier ! s'exclama Leslie. Mais nous ne sommes pas prêts. Nos investigations ne font que commencer et si Michaël...

Elle ne termina pas sa phrase. S'il n'avait pas introduit le doute...

— Ecoutez, répéta Winston. Nous avons investi beaucoup d'argent dans l'étude de ce cas. Ces gosses peuvent nous sauver ou nous perdre, vous le savez tous. Si ce sont des sujets exceptionnels, eh bien, il faut approfondir les recherches, et vite. Et s'ils ne le sont pas, il ne reste plus qu'à les renvoyer chez eux et à employer nos fonds ailleurs. Voilà tout. Reste donc à se décider !

Prenant une profonde inspiration, Leslie regarda Malcolm et George. Leurs visages reflétaient la même indécision. En dépit de leur confiance absolue dans l'efficacité de leurs méthodes de travail, ils hésitaient à émettre un jugement. Si Michaël Bradshaw n'était pas venu... peut-être auraient-ils accepté, pour gagner du temps, de publier un rapport très prudent, très circonspect, sur ce qu'ils avaient découvert jusque-là. Seulement, Michaël Bradshaw avait tout reproduit, avec sa magie ! Et plus personne ne souhaitait écrire quoi que ce fût. Leslie encore moins que ses collègues.

— Les médias s'empareraient vite de toute l'affaire, Winston, et nos carrières sont en jeu, objecta Malcolm.

— Plus que cela : l'avenir même des recherches psychiques, déclara Leslie.

Michaël intervint :

— Moi aussi, je suis contre toute publicité. Imaginez le désastre si vous vous trompez. Mieux vaut perdre quelques jours et l'éviter, vous ne croyez pas ?

Il avait raison, naturellement. Son goût de la précision, sa vigilance, sa prudence criaient à Leslie qu'il avait raison. Mais en même temps, une part d'elle-même, aussi forte et aussi déterminée, défendait la position des jumeaux Gaynor. Non, il avait tort de douter de leurs facultés personnelles. Il n'y aurait pas de désastre. Il ne lui vint pas à l'esprit que, pour la première fois de sa vie, elle laissait la subjectivité s'infiltrer en elle.

George rompit brusquement le silence qui s'était installé.

— Nous devrions tous jeter un coup d'œil à ceci avant d'aller plus loin.

Il sortit une vidéocassette de la poche de sa blouse.

— Je l'ai enregistrée ce matin. Vous allez trouver cela assez... surprenant, je crois.

L'instant d'après, ils observaient tous les cinq les visages des jumeaux sur l'écran.

— Apparemment, ils travaillaient là-dessus depuis longtemps, observa George. D'après Kevin, ils avaient la possibilité de réaliser cela depuis des années, le seul problème était de le contrôler. Ils ont voulu me le montrer en priorité.

Karen et Kevin étaient assis de part et d'autre d'une table métallique au centre de laquelle se trouvait posée une latte de bois de trente centimètres de long sur cinq de large environ. Les mains bien à plat sur la table, ils concentraient dessus toute leur attention.

Soudain, du centre de la latte s'éleva une minuscule volute de fumée. Elle s'épaissit bientôt tandis qu'à sa source, un cercle de bois rougeoyait. Karen toussota, clignant des yeux dans la fumée. Et, subitement, la petite bûche entière s'embrasa. Les deux enfants reculèrent précipitamment, renversant leurs chaises dans leur hâte. On vit encore un laborantin se ruer dans la pièce afin d'arracher l'extincteur du mur puis le film fut terminé.

Dans le bureau-laboratoire de Michaël régnait un silence à couper au couteau. Winston était assis en équilibre instable sur le bord de sa chaise, rouge d'excitation ; Malcolm paraissait abasourdi ; Leslie l'était réellement. Quant à Michaël, son expression demeurait exaspérément énigmatique.

Enfin, Malcolm ayant marmonné un juron, George jugea opportun de donner quelques précisions.

— Le bois provient de mon bureau où les ouvriers réparent une étagère. Je l'ai apporté moi-même sur la table : aucune chance donc qu'il ait été traité avant l'expérience. Et les enfants n'ont introduit ni allumettes ni dispositif d'allumage dans la pièce. J'ajoute que tous nos équipements habituels fonctionnaient normalement et qu'ils n'ont rien détecté de suspect.

Leslie murmura :

— Il a dû y avoir une énorme production de

chaleur pour que le bois s'enflamme de cette
manière. Et si vite !

— Je n'ai jamais rien vu de tel, affirma Winston
en hochant lentement la tête. Seigneur ! Vous mesu-
rez ce que cela peut signifier ?

— Pourquoi diable ont-ils gardé un pareil secret ?
interrogea Malcolm.

Michaël dit alors d'un ton uni :

— Je désire examiner les preuves, naturellement.
Et parler aux jumeaux. Vous pensez qu'ils accepte-
ront de recommencer ?

George le regarda, une lueur de défi dans ses
prunelles bleues.

— Je ne vois pas pourquoi ils refuseraient. Ils ont
toujours été *très* coopératifs.

Après cette dernière performance de Kevin et
Karen Gaynor, une nouvelle définition des priorités
s'imposait. Des expériences furent programmées et
Michaël insista pour assister à chacune d'elles. Leslie
pour sa part décida d'analyser plus à fond leur
attirance pour le feu. Winston, une lueur d'avarice
au fond des yeux, recommanda à tous de se presser.

Par un concours de circonstances tout à fait
indépendant de sa volonté, Leslie quitta la pièce la
dernière. Michaël se tenait debout près de la porte.

— Vous vous rendez à l'hôpital, cet après-midi ?
demanda-t-il.

— Absolument. Je ferais peut-être mieux de
rester ici pour parler aux jumeaux, mais j'ai d'autres
rendez-vous.

— J'aimerais vous accompagner, fit-il en
extrayant un petit paquet de sa poche. J'ai un cadeau

pour Tony. Je vous l'aurais donné plus tôt mais je ne vous ai pas beaucoup vue cette semaine.

Son regard n'était pas accusateur, simplement il soulignait le fait qu'elle l'avait évité.

— C'est un jeu de cartes, expliqua-t-il en le rangeant. S'il doit devenir professionnel, autant qu'il s'entraîne avec ses propres outils, n'est-ce pas ?

Comme elle hésitait, il lui rappela gentiment :

— Vous m'avez invité, non ?

— Oh !... Oh, oui, bien sûr.

Comment diable avait-il pu deviner la présence de Tony à sa consultation, ce jour-là ? Et pourquoi son cœur lui paraissait-il si léger rien qu'à la pensée de passer l'après-midi avec lui ? Elle tenta de parler d'un ton neutre.

— Tony sera ravi, je le sais, et c'est très gentil à vous de vous préoccuper de lui, mais je ne peux pas vous laisser assister à mes séances de travail avec lui.

— Je ne vous dérangerai pas, promit-il en posant une main légère dans le dos de Leslie afin de la guider vers la sortie.

— Vous ne voulez pas vous attarder ici plutôt... pour mettre au point le nouveau tour de prestidigitation qui discréditera les enfants Gaynor, persifla-t-elle d'une voix dont l'amertume la surprit elle-même.

Michaël se contenta de rire.

— Combien de fois devrai-je vous expliquer que je suis là pour ça.

— Mais, bon sang, Michaël, vous ne nous avez pas encore dit la moindre chose.

L'irritation perçait dans ses inflexions, toutefois, elle ne s'écarta pas du jeune homme.

— Vous n'avez fait que créer la confusion dans nos esprits et ralentir notre travail. Vous n'avez pas d'opinion du tout ?

Leurs pas résonnaient sur les marches de bois nu de l'escalier. Michaël demeura pensif et silencieux un moment.

— En réalité, si, répondit-il enfin. Seulement, je pense qu'elle ne vous intéresse pas.

Elle lui lança un regard exaspéré.

— Tiens ! Et pourquoi croyez-vous ça ?

— Vous n'avez pas remarqué ? Votre théorie est déjà établie : vous acceptez d'admettre aveuglément — et d'une façon bien peu scientifique qui m'étonne chez vous — les pouvoirs paranormaux des jumeaux. Au stade où en sont nos relations personnelles, j'hésite à vous ôter vos illusions.

— Ne soyez pas stupide, lança-t-elle.

Il l'accusait d'étroitesse d'esprit, ni plus ni moins ! Et quel rapport avec leurs prétendues relations personnelles ?

— Nous n'avons pas recueilli suffisamment de preuves pour nous forger une opinion dans un sens ou dans l'autre, vous le savez très bien, reprit-elle. Et vous ne nous y aidez pas.

Ils quittèrent le bâtiment et se retrouvèrent dans la cour, sous un ciel assombri de lourds nuages d'orage. Instinctivement, Michaël passa son bras autour de la taille de la jeune femme en un geste légèrement protecteur et tendre.

— Très bien, Leslie ! Vous connaîtrez donc le

fond de ma pensée. Karen et Kevin Gaynor m'apparaissent comme deux adolescents légèrement perturbés, peu sûrs d'eux et prêts à tout pour se faire reconnaître. Qu'ils possèdent quelques facultés télépathiques, d'accord, je veux bien l'admettre. Mais autant de pouvoirs qu'ils le proclament, non, quelque chose m'empêche de le croire. En fait — et c'est plus que probable — j'ai l'impression qu'ils usent de supercherie pour amplifier leurs capacités psychiques.

Sa description des jumeaux correspondait au portrait clinique qu'elle s'était fait d'eux, elle devait bien l'admettre. Seulement, elle voyait trop bien les raisons de son jugement final.

— L'expérience m'a montré qu'on finit toujours par trouver ce qu'on cherche, observa-t-elle froidement. Il vous fallait bien découvrir au moins une tromperie parmi tous nos sujets — vous êtes là pour cela. Pourquoi pas chez les enfants Gaynor ?

Elle haussa légèrement les épaules avant de poursuivre :

— Si vous avez raison, prouvez-le. Et si cela vous est impossible, eh bien, laissez nous accepter l'autre éventualité et étudier ce cas comme l'un des plus intéressants de l'histoire du Centre.

Comme il aimait le ton de sa voix, sa façon saccadée de parler, la manière dont elle levait la tête, dont elle carrait les épaules, prête au combat. Il l'adorait douce et les yeux brillants de larmes ; il l'adorait rieuse et taquine ; il l'adorait quand le sang rosissait ses joues, d'embarras ou de surprise... et il l'adorait en colère, autoritaire et déterminée.

Seigneur! comme elle lui avait manqué tous ces longs jours. Il s'était efforcé de suivre sa règle du jeu, lui laissant du temps, ne tentant rien qu'elle pût considérer comme une pression et se bornant à espérer... qu'il lui manquerait aussi. Peut-être aurait-il dû attendre encore qu'elle vienne vers lui? A cet instant, le contact de sa peau à travers la fine étoffe de son chemisier faisait naître en lui un désir si intense qu'il en devenait presque douloureux.

Accoutumé à masquer ses émotions, il la guida vers le parking en disant d'un ton uni :

— Prenons ma voiture.

Puis il ajouta après une brève pause :

— Quant aux jumeaux, leur fascination pour le feu risque de causer leur perte. Si je ne me trompe pas, si l'hypothèse que j'ai en tête se confirme, nous pourrons boucler cette affaire dans quelques jours.

Inutile de lui demander des explications, il n'en donnerait pas, Leslie le devinait. Et pour d'obscurs motifs elle souhaita ardemment que ses suppositions ne se révèlent pas fondées.

Tony manifesta sa joie de revoir Michaël et devint bientôt si excité par son cadeau qu'il fut impossible d'envisager le moindre travail constructif. Constatant la perturbation qu'il créait, le jeune homme s'éclipsa discrètement.

Après son départ, la séance de thérapie se déroula un peu mieux, toutefois, Tony refusa d'accorder son attention à autre chose qu'aux cartes et bientôt, Leslie n'eut d'autre ressource que de le laisser aux mains de son orthophoniste.

L'après-midi passa très vite ; entre deux consultations Michaël entrebâillait la porte pour lui adresser un sourire ou lui rapporter quelque réflexion entendue dans la salle de jeu où il était vite devenu indispensable. L'idée qu'il se trouvait tout près d'elle, qu'il s'intéressait à son travail, qu'il éprouvait le besoin de la voir le plus souvent possible, lui causait un doux émoi.

Il était déjà trop tard quand le dernier patient quitta le service, aussitôt suivi de Carol anxieuse de parvenir chez elle avant l'orage. Le tonnerre commençait à gronder et les premières gouttes de pluie s'écrasèrent bientôt contre la vitre. Seule dans son bureau, Leslie prit le temps de relire ses notes du jour, de compulser les dossiers, avant de partir à la recherche de Michaël.

Il se tint un moment immobile dans l'embrasure de la porte, comme envoûté par le spectacle qui s'offrait à sa vue. La jeune femme penchait la tête, absorbée par la lecture de papiers posés devant elle. La lumière d'une petite lampe installée à sa gauche pailletait d'or ses cheveux blonds, illuminait la délicate transparence de son teint, soulignant en même temps les lignes de son nez, les courbes de sa bouche, de ses cils, de son cou mince. Derrière elle, l'orage semblait rassembler ses forces avant d'éclater, mais la pièce baignait dans une atmosphère calme et sereine. Sans même s'en rendre compte, il souriait de plaisir.

— Eh bien, dit-il enfin en s'avançant vers elle, comment se porte notre petit moussaillon ?

Se redressant au son de sa voix, Leslie referma les chemises cartonnées.

— Je ne sais pas si je dois vous remercier ou vous en vouloir. Il s'est montré plutôt difficile aujourd'hui.

Elle lui sourit gentiment avant d'ajouter :

— Mais il était heureux et c'est si rare. Donc, merci, Michaël.

— Je suis là pour vous aider.

Il s'assit à demi sur le bord de la table pendant qu'elle rassemblait ses affaires.

— Quel est votre pronostic, Leslie ? interrogea-t-il d'un ton grave.

Son intérêt sincère pour cet enfant qu'il n'avait pourtant vu que deux fois la toucha profondément.

— Nous ne pouvons guère attendre de miracle. Tout de même, il a accompli des progrès considérables et nous devons nous contenter de ces résultats.

Il hocha la tête doucement.

— C'est bien ce que je pensais, observa-t-il à regret.

Comme il était beau ce jour-là, les cheveux soigneusement peignés en arrière, dégageant son grand front. Il portait une chemise rose sans col, aux manches roulées jusqu'aux coudes et un pantalon de toile beige. Lui seul pouvait paraître aussi viril dans une tenue comme celle-là. Sa hanche n'était qu'à quelques centimètres du bras de Leslie et elle devait concentrer toute son attention pour ne pas l'effleurer en rangeant ses paperasses.

— Si nous trouvions un moyen pour l'amener à communiquer avec nous, poursuivit-elle, je crois que le problème serait à demi résolu. Nous avons tenté différentes méthodes, mais sans succès.

Michaël marcha vers la fenêtre. Il resta un moment pensif à regarder tomber les grosses gouttes de pluie, puis il murmura :

— Il le fait peut-être.

— Quoi ? demanda-t-elle en se levant à son tour.

— Il communique peut-être avec nous, suggéra-t-il en se retournant lentement.

Il parlait d'une voix mesurée, réfléchie.

— Avez-vous enregistré ses séances de thérapie ?

Elle le regarda sans comprendre.

— Oui, bien sûr. Son orthophoniste y veille régulièrement. Pourquoi ?

— Oh, rien ! Juste une idée. Nous pourrions écouter un enregistrement ?

Qu'envisageait-il donc ? Impossible de deviner ses pensées. La curiosité aidant, Leslie le conduisit à la salle d'orthophonie.

— Voici celui d'aujourd'hui, fit-elle en extrayant une cassette de l'armoire. Je doute que Joanne ait pu aller bien loin avec Tony, il était si excité par ses cartes...

Elle plaça la cassette dans le magnétophone et pressa sur la touche. Appuyé au bureau de Joanne, les bras croisés, Michaël écoutait attentivement.

— Bravo Tony, c'est extraordinaire...

La voix de la jeune fille, claire et précise, fut bientôt couverte par le babillage de l'enfant.

— ... Oui, j'adore tes tours de cartes et je pense que tu es un très gentil petit garçon, mais si tu...

Les cris de Tony redoublèrent et Leslie eut une pensée de sympathie pour sa collègue.

— Bon, d'accord. Montre-moi cela encore une fois.

Tony entama alors un discours fiévreux autant qu'incohérent qui cessa seulement lorsque Michaël arrêta l'appareil.

— Alors ?

Leslie le regarda avec curiosité. Une curiosité qui se transforma en suspicion quand elle le vit manipuler les boutons et les touches.

— Non, Michaël, attendez ! C'est important. Ne vous amusez pas à l'un de vos numéros de magie...

— Chut..., fit-il simplement.

L'instant d'après, un baragouin inintelligible remplaçait la voix de Joanne puis leur parvint, claire, facilement reconnaissable, parfaitement cohérente, celle de Tony.

— Regarde bien, Tony, tu vas assister au plus incroyable tour de prestidigitation jamais vu dans le monde, présenté pour la dernière fois à la cour de la Reine...

Non, c'était un rêve ! La voix de Tony ! Le son merveilleux, incroyable de la voix de Tony, parlant un anglais absolument compréhensible. Leslie sentait une petite boule lui nouer la gorge tandis que ses yeux s'embuaient.

— Michaël, murmura-t-elle en s'accrochant de toutes ses forces au bras du jeune homme. Recommencez, je vous en prie.

Prestement, il s'exécuta et on entendit de nouveau

Tony répéter mot pour mot le boniment qu'il s'était amusé à lui réciter presque une semaine plus tôt.

Leslie le considéra d'un air hébété. Il semblait aussi stupéfait qu'elle, les yeux fixés sur l'appareil qui lui restituait ses propres paroles, ses propres phrases, par la bouche d'un enfant supposé incapable de parler. Tony parlait, aucun doute n'était plus possible ; il parlait depuis fort longtemps certainement. Simplement, personne ne l'avait écouté.

Comme pour contenir la joie folle, exubérante, montant en elle, la jeune femme porta les mains à sa bouche. Les yeux noyés de larmes, le cœur battant à se rompre, elle était incapable d'exprimer quoi que ce fût.

— Il redit tout ce qu'il entend, observa enfin Michaël. Mais avec un certain retard et à une vitesse vertigineuse.

Quelque chose de calme, de prosaïque dans son ton, fit déborder l'émotion de Leslie et, mi-riant, mi-pleurant, nouant les bras autour de son cou, elle s'écria :

— Michaël ! Vous savez ce que vous venez de faire ? La voilà la clef qui nous manquait, la *chance* de Tony.

Lui entourant tendrement la taille, il plongea son regard dans le sien.

— Vraiment ? Cela va vous aider ?

Elle rit doucement puis, la tête dans le creux de son épaule, elle avoua :

— Je crois que vous êtes vraiment un faiseur de miracles.

Il l'enlaça plus étroitement et, la bouche dans ses cheveux, observa en plaisantant :

— Bon sang, je viens juste d'y penser : c'est une catastrophe. Tony rapporte tout ce que je dis ! Pourvu que je ne lui aie pas confié un ou deux secrets intimes ou appris quelques jurons !

Ils échangèrent un long regard, les yeux brillants de joie et d'espoir. Quel monde de possibilités s'ouvrait devant eux ! Les mots, un baiser même auraient été importuns dans un moment d'émotion aussi intense. Il leur suffisait de se regarder, de s'étreindre, de baigner dans une mutuelle tendresse.

Puis, une petite flamme dansant dans ses prunelles dorées, Michaël desserra légèrement son étreinte.

— Il faut fêter ça, affirma-t-il. Que diriez-vous d'une bouteille de champagne dans la meilleure auberge de la ville ?

— Je dirais que c'est une excellente idée, acquiesça-t-elle en souriant.

Chapitre 10

Michaël la conduisit dans un restaurant tout simple perché au deuxième étage au-dessus d'une taverne bruyante de la banlieue.

— Pas de luxe, mais de bonnes choses, avait-il assuré avec un clin d'œil complice.

Son choix s'avérait très judicieux. Ils se seraient sentis mal à l'aise dans un endroit huppé, avec des chandelles et des ombres complices, des orchidées sur les tables et des violons en fond sonore. L'atmosphère amicale et bon enfant de cette salle brillamment éclairée, où la qualité de la nourriture dépassait largement celle du service, convenait à merveille à leur état d'esprit.

Leslie, qui pourtant détestait manger hors de chez elle, trouva le menu extraordinaire et les plats préparés à la perfection. A sa vive surprise, même le champagne se révéla délicieux. A la fin du repas, quand ils burent leur dernier verre, l'excitation de leur découverte avait fait place à un sentiment de bonheur intense.

— Je rencontrerai Joanne demain matin à la

première heure, déclara-t-elle. Seigneur ! Nous avons du pain sur la planche. Et j'ai tellement hâte de voir le visage de Mme Swan. Penser que la réponse était là, si près...

Michaël lui adressa un sourire tendre où se mêlait un peu de perplexité.

— Je ne comprends pas comment vous parvenez à vous partager ainsi entre le Centre et l'hôpital. Vous semblez vous donner à fond à l'un comme à l'autre et pourtant, ce sont deux activités totalement différentes ; deux aspects presque opposés de votre profession.

La jeune femme eut un petit rire. C'était un son léger qui fit naître des picotements de plaisir dans le dos de Michaël.

— Un symptôme évident de tendances ambivalentes ! ironisa-t-elle. Le Centre est le symbole de mon désir de rébellion et l'hôpital, une manière de rassembler les derniers vestiges de ma respectabilité.

Elle but une gorgée de champagne.

— En fait, reprit-elle sérieusement, ces deux jobs ont plus de points communs que vous pourriez le penser. Et je les aime autant l'un que l'autre.

— Je m'en doute, en effet.

On leur apporta leur dessert : sorbet à l'ananas pour Leslie, coupe de fruits pour Michaël.

— Mummm, c'est un véritable délice, murmura-t-elle après la première cuillerée.

— Je n'avais pas menti, n'est-ce pas ? Il m'est arrivé d'effectuer le trajet de Georgetown jusqu'ici rien que pour goûter aux savoureux repas de Jason — et pourtant je n'aime guère les restaurants.

Puis il ajouta en confidence :

— Je lui ai même confié une ou deux de mes recettes.

— Ah ! voilà qui explique tout, dit-elle en riant.

Il y eut une brève pause puis Michaël interrogea avec intérêt :

— Dites-moi, pourquoi avez-vous choisi ce genre de travail ?

— Eh bien, je vous en ai déjà parlé, je crois. Mon oncle avait lui-même fondé le Centre.

Elle dégusta la dernière bouchée de son sorbet et poursuivit :

— Ma famille est uniquement composée de scientifiques, je n'avais guère le choix... Ma mère s'est spécialisée dans les recherches sur la génétique et mon père est un pionnier dans le domaine des transplantations cardiaques. Tous les deux extrêmement brillants, élégants, orgueilleux, sûrs d'eux. Ils ont tout réussi magnifiquement dans leur vie... excepté en ce qui concerne leur enfant...

Le silence tomba. Il éprouvait le désir impérieux de la prendre dans ses bras, de la protéger, de chasser la tristesse et les ombres de ses yeux. Toutefois il n'en fit rien : de toute évidence, elle n'avait pas terminé son récit.

— Mes parents reconnaissent à peine le métier de psychiatre comme une occupation acceptable, reprit-elle avec un sourire fugace et légèrement ironique. Et quant à la parapsychologie... inutile d'en parler. Je dois avouer que j'ai d'abord suivi mon oncle dans le seul but de les choquer, de les obliger à admettre que je possédais une personnalité différente de la leur. Et puis, je me suis passionnée pour les recherches menées au Centre. Il y a tant de choses à apprendre ; tant de défis à relever ; tant de possibilités à explorer.

A l'extérieur, la tempête faisait rage, la pluie cinglait les vitres ; dans la vaste salle, le murmure des conversations, le cliquetis des couverts semblaient chauds et rassurants. Michaël prit la main de la jeune femme et entremêla leurs doigts.

— Je sais donc maintenant pourquoi cette jolie dame a emprunté cette voie, observa-t-il en souriant. Mais en dépit du fait que vous vouliez à tout prix devenir le contraire d'eux, je crois que vous ressemblez plus à vos parents que vous ne le pensez.

Surprise une fois encore par sa perspicacité, par sa sensibilité, elle lui sourit. Puis avec un léger haussement d'épaules, elle plaisanta :

— Par mon obsession des détails, des faits concrets, des preuves, vous voulez dire ? Oh, vous savez, je tiens ça autant de mes oncles et tantes, de mes grands-parents que de mes parents. Je ne pouvais pas y échapper...

— Dans votre domaine particulier, cela doit vous poser des problèmes. Vous n'êtes pas amenée parfois à accepter aveuglément l'impossible ?

Elle se mit à rire, mais d'un rire un peu nerveux.

— Voilà exactement le préjugé que je m'efforce de combattre. En parapsychologie, comme ailleurs, ce qu'il est impossible de prouver n'existe pas.

— Je comprends pourquoi vous ne pouvez pas vous permettre de prendre des risques.

La flamme qui palpitait dans les yeux topaze le

disait clairement : il n'évoquait pas seulement les risques professionnels.

Soudain mal à l'aise, elle retira doucement sa main, adoucissant toutefois son geste d'un léger sourire. Elle but une dernière gorgée de champagne avant de s'enquérir :

— Et vous, monsieur Bradshaw ? Vous avez aussi une famille ?

— Plus ou moins, répondit-il. J'ai grandi dans ce qu'il est convenu d'appeler un foyer désuni. Mes parents ont divorcé lorsque je suis entré au collège. Mais...

Il considéra pensivement la note qu'il tenait négligemment entre ses doigts avant d'ajouter :

— Vos heures de travail sont terminées et je ne veux pas que vous vous donniez la peine d'analyser les conséquences fâcheuses de mon enfance perturbée.

Ah, voilà ! Elle lui avait confié ce qu'elle n'avait jamais révélé à aucun homme et lui, comme lors de leur première rencontre, rien. La pirouette habituelle pour éviter de répondre. Tandis qu'il la guidait vers la sortie, elle tenta de cacher son désappointement et sa déception. Il n'avait pas compris combien il était important pour elle qu'il lui réponde sincèrement ; il s'était contenté de lui offrir des bribes, des pièces insuffisantes pour reconstituer le puzzle Michaël Bradshaw.

Il pleuvait à torrent lorsqu'ils quittèrent l'établissement et Leslie attendit à l'abri que le jeune homme aille chercher sa voiture garée dans une rue avoisinante. Elle se sentait un peu coupable de demeurer au sec alors qu'il allait se faire tremper pour elle. Mais, quand elle s'assit sur le siège à côté de lui, elle l'examina avec stupeur.

— Comment vous y êtes-vous pris ? Vous n'êtes pas mouillé.

Pas une seule goutte ne semblait en effet l'avoir touché.

— Les parapluies ne sont pas faits pour les chiens, fit-il, les yeux brillants de malice.

— Mais vous ne vous étiez pas muni d'un parapluie, argua-t-elle. Et d'ailleurs, même si vous en aviez eu un, il n'aurait pas protégé le bas de votre pantalon, ni vos chaussures. Or ils sont secs !

Il haussa les épaules et démarra.

— J'ai peut-être simplement couru entre les gouttes.

Etait-ce l'effet du champagne ? Cela ne parut pas impossible à Leslie. Mais oui, il s'était faufilé entre les rideaux de pluie... A moins que, en y réfléchissant... tout de même...

Comme s'il lisait dans ses pensées, il lui adressa un clin d'œil et se mit à rire.

— Top secret, dit-il. Comme pour la sauce...

Un moment plus tard, ils parvinrent au Centre. La petite Austin demeurait seule sur le vaste parking de la fondation. Elle semblait perdue, abandonnée dans l'obscurité et sous l'averse. Leslie, elle aussi, se sentait perdue et abandonnée : Michaël allait la quitter...

— C'est vraiment stupide ! fit-il en se garant tout près. Laissez-moi vous reconduire chez vous, je

passerai vous prendre demain matin. Vous n'allez
pas conduire par ce temps.

Le bruit du déluge tombant sur le toit parut un
peu effrayant sans le vrombissement du moteur. Le
tonnerre grondait encore au loin et un éclair illumina
brièvement le visage de Michaël quand il se tourna
vers elle.

— Oh, je saurai me débrouiller. D'ailleurs l'orage
se calme un peu, on dirait.

Il avança la main pour lui soulever le menton d'un
doigt affectueux.

— Pas trop de champagne ?

Quand donc s'était-on inquiété d'elle pour la
dernière fois ? Cela devait remonter à la nuit des
temps...

— Non, tout ira bien, assura-t-elle avec un sourire. Bonne nuit, Michaël.

Une flamme dansait dans les yeux topaze et elle
ne fit aucun geste pour ouvrir la portière.

Il se pencha et prit ses lèvres. Les bras noués
autour de son cou, elle lui répondit avec ivresse. Elle
ne percevait plus que vaguement le martèlement de
la pluie sur le pare-brise ; il se confondait avec les
battements précipités de son cœur. Sous ses doigts,
les cheveux blonds étaient doux comme de la soie.

Un courant chaud flottait entre eux, aussi réel,
aussi puissant que la foudre qui s'abattait peut-être à
cet instant sur un arbre et le calcinait. Et ce courant
lui donnait le vertige, cette marée l'amenait presque
à défaillir. Dans les bras de Michaël, elle perdait
conscience de la réalité. Plus rien n'existait en elle,
sinon son besoin de lui.

Elle et lui... Ils étaient destinés l'un à l'autre, destinés à devenir une part l'un de l'autre...

Les mains de Michaël se glissèrent sous son corsage, effleurant, caressant doucement ses seins tandis que ses lèvres goûtaient chaque parcelle de sa gorge, de son cou. Elle allait mourir, elle en était certaine. Mourir de plaisir, de désir, d'attente de l'ultime bonheur qu'il ne manquerait pas de lui donner.

L'instant d'après, ses longs doigts se glissaient dans son dos et il l'emprisonna étroitement contre lui. Il s'empara alors de sa bouche avec une passion sauvage qui la laissa abasourdie. Puis il desserra son étreinte et leva le visage de Leslie vers le sien. Quand elle ouvrit les yeux, elle rencontra les siens posés sur elle, leur expression indéchiffrable dans la pâle lumière entrant à travers les vitres mouillées.

Il lui adressa un sourire un peu figé. Son souffle chaud frôlait sa tempe ; d'un doigt tremblant, il écarta une mèche blonde qui tombait sur le front de la jeune femme.

— J'aime vos cheveux, dit-il d'une voix rauque.

Elle avança une main aussi peu assurée pour toucher son visage. Instinctivement, comme un chat cherchant les caresses, il frotta sa joue contre sa paume.

— Et moi, j'aime vos yeux, murmura-t-elle.

Il encadra doucement sa tête de ses deux mains, la considérant de ses prunelles extraordinaires assombries par la passion. Rien ne trahissait son combat intérieur, pourtant Leslie le percevait par tous les pores de sa peau, par tous ses sens.

— Leslie... mon amour, balbutia-t-il.

A nouveau ce sourire tendu, forcé. Son regard la scruta, brièvement, intensément puis se détourna.

— Je pourrais vous ôter si vite vos vêtements que quand vous serez une très très vieille dame racontant notre histoire à nos petits-enfants vous vous demanderiez encore comment c'est arrivé... Mais... vous n'êtes pas encore sûre de moi, n'est-ce pas ?

Les battements du cœur de Leslie s'étaient légèrement calmés mais la fièvre brûlait encore en elle. « Si, je suis sûre. Je veux que vous me touchiez, que vous me caressiez, que vous soyez à moi maintenant » pensa-t-elle. Mais ce n'était pas ce qu'il souhaitait entendre, elle le savait très bien.

Laissant sa main glisser lentement, elle la posa sur la poitrine du jeune homme. Il y avait de la souffrance au fond de ses yeux bleus quand elle le regarda.

— Michaël... je n'y peux rien. Je... ne vous connais pas bien, je ne vous comprends pas bien... et tout ce qui est logique en moi me dit que rien de bon ne peut résulter de...

« Mais je vous désire comme je n'ai jamais désiré personne de ma vie » pensa-t-elle.

Il ne lui donna pas la chance d'exprimer tout haut sa pensée : doucement, il s'écarta d'elle.

— Tout le problème est là, Leslie. Vous ne me connaîtrez jamais, ou ne me comprendrez jamais... tant que vous ne pourrez pas m'accepter aveuglément, simplement, sans poser de questions.

Il lui adressa un sourire triste puis effleura sa joue de ses lèvres avant d'ajouter :

— La magie apparaît seulement quand vous cessez de penser.

Mais cesser de penser, de tout analyser, était contraire à sa nature !

Elle ouvrit la portière et gagna sa voiture ; il ne pleuvait plus.

Michaël savait qu'il ne dormirait pas de la nuit. Une douche froide n'était pas parvenue à apaiser son désir fiévreux ; sa souffrance se logeait bien au-delà du physique, dans son âme même.

Pourquoi diable avait-il laissé partir Leslie ? Elle pourrait être là à présent, blottie dans ses bras, endormie et comblée. Elle pourrait être à lui, pour aussi longtemps qu'il le voudrait.

Pour aussi longtemps... Peut-être était-ce là ce qui l'avait arrêté, justement. Il avait peur de la vouloir à lui pour toujours.

Toute sa vie, il s'était laissé guider par ses instincts et maintenant, ses instincts le terrifiaient. Il ne souhaitait pas encombrer son existence d'une femme, surtout une femme comme Leslie. Dieu merci, elle s'était montrée circonspecte.

La cabine lui paraissait petite, son atmosphère étouffante. Impossible de monter sur le pont, il pleuvait de nouveau à torrent. Il marchait nerveusement de long en large, s'arrêtant juste à une reprise pour saisir un livre d'un geste machinal puis le reposer avec une petite grimace. Houdini ! Non, vraiment, le moment était mal choisi et d'ailleurs il n'avait pas envie de lire.

Las de faire les cent pas, il s'allongea sur son lit,

les yeux au plafond. D'habitude, il contrôlait, il manipulait tout à sa guise mais là, pour la première fois, il se trouvait dans une situation qui échappait à son pouvoir : Leslie, qui n'avait pas sa place dans sa vie, s'était déjà installée dans son cœur.

Avec un soupir, il ramassa un magazine posé à même le sol. En s'y plongeant, peut-être parviendrait-il à se distraire de ses pensées ? Sur une double page, une publicité vivement colorée invitait les lecteurs à un paradis tropical où ils goûteraient le romanesque de « la plus longue plage de sable rose du monde ». Les eaux turquoises de la mer des Caraïbes léchaient doucement le rivage sous un ciel uniformément bleu. Dans l'angle gauche de la photo, se dressait un palmier luxuriant. Il se voyait avec Leslie, jetant l'ancre dans cet endroit de rêve pour la première escale de leur voyage autour du monde. Il l'imaginait dans un minuscule bikini, la peau bronzée, les cheveux éclaircis par le soleil, un sourire radieux aux lèvres, ses yeux rivés aux siens ; il imaginait ses doigts effilés entremêlés aux siens tandis qu'ils se promenaient sur cette plage. Et puis, pourquoi ne feraient-ils pas l'amour sur le sable d'une petite crique, bercés par le murmure incessant de l'océan, une légère brise effleurant leur peau brûlante. Il imaginait le bonheur qu'ils éprouveraient à se sentir l'un à l'autre pour toujours.

Seigneur ! Il perdait la raison. Avec un gémissement, il enfouit son visage dans son bras replié, s'efforçant de ne plus penser.

« La pluie cinglait les vitres, le vent soufflait avec violence imitant parfois le cri perçant d'un chat rappelant à d'autres moments le grognement d'un ours ou le piétinement furieux d'un taureau prêt à charger. Puis la tempête cessait brusquement, comme pour rassembler ses forces avant un nouvel assaut.

« A l'étage, la femme dormait seule dans une pièce chaude et douillette. En bas, dans la cave, tout était sombre et glacé. Une vague odeur d'humidité stagnait en permanence, mêlée à une autre, fétide, appartenant à quelque chose de pas tout à fait mort...

« Un bruit, une sorte de glissement se fit entendre sur le sol cimenté. De grands yeux aveugles s'ouvrirent, se refermèrent, s'ouvrirent à nouveau. Le long corps frémit de désir et de faim. Laissant une traînée brillante derrière lui, il commença à ramper vers l'escalier. »

Incapable de se concentrer sur son roman d'épouvante, Leslie laissa retomber le livre fermé à côté d'elle. En soupirant, elle fixa tristement le plafond. Que faisait-elle là, dans son lit, solitaire ?

Le martèlement doux des gouttes sur les persiennes de sa chambre lui rappela le vacarme d'autres gouttes sur le toit de la voiture de Michaël. Comme elle se sentait bien, alors, dans ses bras. Pourquoi avait-il cessé de l'embrasser, de la caresser ? Pourquoi lui avait-il offert la possibilité de penser ? Ah ! S'il ne lui avait pas donné l'occasion de réfléchir, elle reposerait à cet instant nue contre lui.

Mais voilà, il ne voulait pas la brusquer, il lui avait

laissé le choix. Et elle n'était pas du tout sûre d'avoir
pris la bonne décision. Elle, si raisonnable, si
rationnelle ; elle qui ne pouvait jamais aimer un
homme avant de l'avoir complètement analysé, qui
ne pouvait pas accorder sa confiance à un être
comme Michaël Bradshaw ; elle qui savait que
dormir avec lui ne serait pas seulement un acte de
passion purement physique et qui ne voulait pas que
ce fût autre chose ; elle qui se garderait bien de
croire en lui mais ne se souvenait plus pourquoi...
n'était-elle pas en train de tomber amoureuse de
lui ? Non, c'était impossible. Et d'ailleurs, elle si
prudente, si circonspecte, n'allait pas se permettre
de commettre une pareille erreur.

Elle éteignit sa lampe de chevet et avec un
profond soupir, tira le drap jusque sur ses oreilles.
Elle se refusait à entendre seule le bruit de la pluie.

Plus tard, bien plus tard, elle s'endormit en se
demandant ce que faisait Michaël et elle rêva qu'elle
se promenait avec lui, main dans la main, sur une
plage de sable rose.

Chapitre 11

Debout sur le seuil du laboratoire, Leslie regardait Michaël. Il était assis à sa table de travail située au centre de la pièce et fronçait les sourcils en tournant et retournant une latte de bois dans ses mains. Sur l'écran installé devant lui, les jumeaux Gaynor réussissaient leur exploit.

— Vous ne comprenez pas, n'est-ce pas ? dit-elle en souriant.

Lui jetant un coup d'œil, il répondit d'un air absent :

— Pas pour l'instant.

Il se leva et alla éteindre l'appareil de projection.

— Le feu n'est pas une illusion facile, j'en conviens, mais elle peut être réalisée. Ils ne s'y prennent pas de la même façon que moi, c'est tout.

— Vous ne trouverez rien parce qu'il n'y a *rien* à découvrir, pourquoi refusez-vous de l'admettre ? Les enfants ne dissimulent rien du tout ; ils ne trompent personne. Ils possèdent simplement des pouvoirs psychiques qu'ils ne s'expliquent pas plus que vous.

— Depuis quand croyez-vous aux miracles ? demanda-t-il en l'enveloppant d'un regard à la fois curieux et amusé.

Quelle chaleur, quelle douceur dans les prunelles topaze ! Leslie en demeura une seconde interdite. Elle venait de passer deux jours à l'hôpital à s'occuper intensément du cas de Tony et n'avait pas revu le jeune homme. Comme ses yeux lui avaient manqué !

Sa question aussi la troublait. Toutefois, elle n'avait pas envie d'y réfléchir. Pas maintenant. L'écartant d'un haussement d'épaules, elle observa :

— Vous avez trop travaillé sur ce problème ; vous méritez une pause. Aimeriez-vous aller visiter une maison hantée ?

Il souleva les sourcils d'un air approbateur.

— Avec vous ? Ma chérie, montrez-moi le chemin.

Le sourire merveilleusement suggestif et légèrement taquin à la fois qui accompagna ses paroles fit naître un petit frisson de plaisir à travers tout le corps de Leslie. Comment s'y était-il donc pris pour lui manquer autant en un si petit laps de temps ?

— Nous sommes en train d'effectuer des contrôles à propos d'une affaire de poltergeists, en d'autres termes, d'esprits frappeurs, expliqua-t-elle comme ils quittaient le laboratoire. Toute la famille est partie pour quelques semaines. Afin de fuir le stress, je suppose, plutôt que pour découvrir une autre contrée. Quoi qu'il en soit, ils nous ont permis d'installer notre matériel dans leur demeure durant leur absence.

Après une brève pause, elle ajouta :

— Le technicien chargé de ce genre de travail est malade et tous nos collègues sont occupés. Vous me rendriez service en m'aidant à transporter l'équipement à l'intérieur de l'habitation. Pour le reste, je me débrouillerai. Cela ne nous prendra pas plus d'une heure.

— C'est bien le moins que je puisse faire.

Sa main se posa tout naturellement sur la taille de Leslie quand ils quittèrent le bâtiment.

— Parlez-moi de Tony, reprit-il. Je ne vous ai pas vue depuis deux jours, sans doute étiez-vous occupée à l'hôpital ?

— Oh, Michaël ! fit-elle en se tournant vers lui, les yeux brillants comme à chaque fois qu'elle pensait au petit garçon. J'aurais voulu que vous voyiez le visage de sa mère quand nous lui avons appris votre découverte. Et ceux de toute l'équipe soignante ! Ils ne parvenaient pas à y croire. Tant de possibilités nous sont offertes maintenant.

Elle commença à développer pour lui les diverses théories susceptibles d'expliquer cette forme particulière de langage puis exposa en détails les thérapies qu'ils envisageaient de suivre. Le chemin serait encore long et le succès aléatoire, précisa-t-elle, mais maintenant une partie du problème était résolue et c'était formidable.

Pendant qu'elle parlait, ils avaient entreposé tout l'équipement dans la camionnette du Centre et quand elle s'arrêta pour reprendre haleine, ils quittaient déjà le parking.

— Pardonnez-moi, dit-elle, confuse. Je ne pensais pas me laisser entraîner par mon enthousiasme.

— J'aime vous voir vous animer, confia-t-il avec un sourire tendre.

Puis, désignant la route, il interrogea :

— Dans quelle direction allons-nous ?

Elle lui indiqua le chemin et peu de temps après, ils s'arrêtaient devant une banale maison de style ranch, en brique rose. Il regarda Leslie d'un air étonné.

— C'est ici ? L'endroit ne me paraît guère hanté.

— Humm, fit-elle en sautant en bas du véhicule, une lueur amusée dans le regard, il ne faut pas se fier aux apparences.

Utilisant les clefs confiées par les propriétaires, elle déverrouilla la porte et arrêta l'alarme. Puis ils transportèrent les cartons dans le salon avant de rebrancher le système de sécurité.

— Les Eliott constituent la famille typique d'Américains moyens, commenta-t-elle. Le père, la mère, un fils de trois ans et une fille de douze. Leur demeure ne date que de cinq ans et il y a deux mois environ, des phénomènes étranges ont commencé à y apparaître : des meubles déplacés, des lampes volant dans les airs, de la vaisselle cassée et autres choses du même genre.

L'atmosphère était étouffante à l'intérieur de l'habitation aux portes et fenêtres closes. Elle déposa le paquet qu'elle tenait à la main sur le tapis et s'essuya les mains en les frottant l'une contre l'autre. Puis elle s'agenouilla afin d'extraire la caméra de son emballage en poursuivant :

— Toutes sortes de spécialistes sont venus ici. Ils n'ont rien trouvé, ni faille géologique dans le sous-sol, ni rivière souterraine, ni poche de gaz, ni surcharge électrique pas plus que de défaut de construction du bâtiment. De même, ils ont écarté l'hypothèse d'effets secondaires dus à la circulation sur l'autoroute ou au mouvement des avions sur l'aéroport. Il ne nous reste donc plus qu'à essayer de fixer quelque chose sur la pellicule — sans intervention humaine, naturellement.

Michaël approuva d'un signe de tête puis il s'enquit :

— Et quelle est votre opinion ?

— J'ai déjà rencontré des situations semblables. Les adolescents y jouent un grand rôle à leur insu, surtout les filles, d'ailleurs. Il semble que leur activité cérébrale intense se manifeste par le déplacement d'objets. C'est le cas de la petite Eliott, je pense.

— Mais dites-moi, fit-il en riant doucement. Voilà le mystère des poltergeists éclairci par une explication tout à fait rationnelle. Et dire qu'il y a un instant vous me reprochiez d'en chercher une pour justifier les exploits des jumeaux Gaynor...

C'était un commentaire gentiment taquin, simplement, mais il atteignit Leslie comme si Michaël avait pointé vers elle un doigt accusateur. Elle se tourna vers les caisses encore fermées et dit très vite :

— Il nous faut monter le matériel.

Ils déballèrent les caméras-vidéo — programmées pour se mettre en marche au moindre mouvement, au moindre son ou au plus infime changement de température — et les magnétophones — ultra-sensibles capables de détecter des bruits inaudibles à l'oreille humaine — flambant neufs dont le Centre venait juste de s'équiper grâce à la subvention du gouvernement.

— Drôlement perfectionné, tout cela, commenta Michaël une nuance d'admiration dans la voix.

Ils consultèrent le plan dressé par le technicien avant d'installer les appareils aux points stratégiques.

— Les Eliott, confia-t-elle, affirment qu'ils ressentent parfois une impression de froid juste avant le début des phénomènes.

Michaël la regarda relever ses cheveux afin de rafraîchir son cou. Ses yeux s'attardèrent sur ses seins qui tendaient la fine étoffe de son chemisier, sur le triangle de peau brune qui apparaissait dans l'échancrure. Il avala sa salive avec difficulté.

— J'apprécierais bien un peu de fraîcheur maintenant, pas vous ? ajouta-t-elle.

Rencontrant alors le regard topaze intensément fixé sur elle, elle sentit les battements de son cœur s'accélérer. Rapidement, elle se détourna.

— Il ne nous reste plus qu'à placer deux caméras dans la salle de jeu et nous aurons terminé.

La vaste pièce destinée à la détente de la famille occupait le sous-sol de l'habitation. On y trouvait un canapé, des chaises de jardin, une table de ping-pong, une chaîne hi-fi, un poste de télé et même un bar disposé dans un angle. En fait, rien qui rappelait les demeures hantées des films hollywoodiens...

Leslie s'efforça de maintenir la conversation sur

un plan purement professionnel. Elle n'avait pas imaginé à quel point il lui serait difficile de rester de glace auprès du jeune homme alors qu'elle percevait l'odeur si doucement épicée de son eau de toilette, qu'elle entendait les inflexions tendres et taquines de sa voix, qu'elle observait les mouvements de ses longues mains... Elle avait été folle de chercher à le revoir.

— Nous éteindrons les lampes en partant, expliqua-t-elle inutilement et nous reviendrons dans quelques jours pour collecter les informations... s'il y en a...

La main de Michaël se posa très doucement sur son cou et elle sursauta violemment. Elle ne pensait pas qu'il fût si près d'elle.

— Pourquoi êtes-vous si nerveuse ? demanda-t-il.

Un petit sourire en coin, il suggéra :

— Les poltergeists vous troublent à ce point ?

— Ne soyez pas stupide. Et d'ailleurs, je ne suis pas troublée. Qu'est-ce qui vous l'avait fait croire ?

— Vous parlez toujours comme un scientifique quand vous êtes nerveuse — ou sur la défensive, observa-t-il en caressant doucement ses cheveux avant de s'écarter d'elle.

Il avait raison, naturellement ! Elle se sentait confuse et maladroite comme une adolescente, et elle détestait cela. A vrai dire, elle mourait d'envie qu'il la prenne dans ses bras, elle voulait réagir avec son instinct, son corps, son cœur et pas avec son esprit et, en même temps... elle craignait encore...

Se tournant vers lui, elle prit une profonde inspiration.

— Michaël, pourrions-nous discuter une minute. Je...

Un courant d'air froid passa près d'elle et elle s'interrompit brusquement.

— Vous avez senti ça ? interrogea-t-il, stupéfait.

Au même instant, la porte située au haut des marches se referma violemment avec un claquement sourd. Leslie tressaillit en étouffant un petit cri.

— Que diable... fit Michaël.

Fronçant les sourcils, il commença à gravir l'escalier. Elle le suivait de tout près.

— Une fenêtre a dû rester ouverte quelque part, raisonna-t-elle d'une voix un peu tremblante.

Son cœur battait à coups précipités et elle devait lutter pour ne pas agripper le bras du jeune homme.

— Nous avons vérifié toutes les ouvertures, objecta-t-il d'un ton uni.

Il tourna le bouton de la porte ; celle-ci ne s'ouvrit pas.

— Et d'ailleurs, vous croyez que le vent serait capable de tirer le verrou ?

Les yeux écarquillés, Leslie s'écria :

— Quoi !

Rapidement, elle passa devant lui et tenta à son tour d'ouvrir le battant.

— Elle est bloquée ! s'exclama-t-elle.

— Je pensais vous l'avoir dit, murmura Michaël.

— Mais c'est impossible ! Il n'y a pas de serrure.

Ce disant, elle essayait de toutes ses forces d'ébranler le vantail.

— Seulement un verrou, fixé sur l'autre face. Vous briser l'épaule ne servira à rien, Leslie.

— Comment savez-vous de quel système de fermeture il s'agit? interrogea-t-elle, incapable de dominer la suspicion qui naissait en elle.

— Les serrures sont... heu... un de mes hobbies, confessa-t-il. Je les remarque toujours.

S'adossant au mur de l'étroit palier, elle laissa échapper un soupir.

— Très bien, Michaël. Vous avez réussi à m'effrayer. Mais maintenant...

Elle fit un geste significatif en direction de la sortie.

— Pourquoi établissez-vous automatiquement un lien entre ce phénomène et moi? fit-il, une petite lueur amusée dansant dans son regard innocent.

— Oh, je vous en prie! Ce n'est pas drôle... La plaisanterie a assez duré; sortons d'ici.

Michaël leva gravement la main droite.

— Je vous le jure, Leslie, je n'y suis pour rien.

Une part d'elle-même voulait le croire; une autre s'y refusait...

— En ce cas, quelle est votre explication? Les poltergeists?

— Peut-être, dit-il en regardant pensivement la porte.

— Oh, pour l'amour du ciel! s'emporta-t-elle. Vous allez l'ouvrir?

— Comment?

— De la même façon que vous l'avez fermée.

Il fronça les sourcils d'un air irrité.

— Je vous le répète : je n'y suis *pour rien*. Et d'ailleurs, réfléchissez. J'étais en bas, avec vous, quand le vantail a claqué. Et le verrou est à *l'extérieur*. Et l'air froid, vous y avez songé ?

— Bon, d'accord, n'en parlons plus, admit-elle avec un haussement d'épaules. Mais je suis sûre que vous avez un tour dans votre sac qui vous permettra d'actionner le verrou.

— Désolé. Mon nécessaire de parfait cambrioleur est resté dans la poche d'un autre vêtement.

Puis, découvrant l'expression rageuse de Leslie, il ajouta avec un soupir :

— Nous pourrions essayer de dévisser les charnières. Allez voir en bas si vous trouvez un outil quelconque.

Elle fouilla la pièce en vain. Rien ne traînait chez les Eliott. A la fin, assise sur le sol, elle lança un dernier regard circulaire.

— Pas même une lime à ongles, informa-t-elle.

Il la rejoignit alors dans la salle de jeu.

— De toute façon, nous n'y serions pas parvenus. Les vis sont enfoncées trop profondément dans le bois.

— Eh bien !

Elle s'adossa au mur et ramena ses genoux contre sa poitrine avant de les entourer de ses bras.

— Qu'allons-nous faire ? Il n'y a pas de téléphone ici.

— Attendre. Attendre que quelqu'un s'inquiète de nous... ou que les fantômes décident de nous laisser sortir.

Leslie consulta sa montre.

— Il est six heures. Tout le monde a quitté le Centre à cette heure-ci ; personne ne se souciera de nous avant demain. Oh ! bon sang, il ne m'est jamais rien arrivé d'aussi ridicule ! Michaël, je vous préviens, si vous avez quelque chose à voir avec tout ça...

— Je vous ai juré que non, il me semble, répliqua-t-il avec impatience. Ne pourriez-vous me croire sur parole, pour une fois ? Est-ce trop vous demander ?

Gênée, elle se détourna. Et si jamais il disait vraiment la vérité... Une idée lui vint alors à l'esprit.

— Michaël... commença-t-elle en le regardant à nouveau. Puisque ce n'est pas vous... quelqu'un n'aurait-il pas pu s'introduire dans la maison... quelqu'un qui serait encore là ?

Le visage du jeune homme s'adoucit et il observa :

— Vous avez vous-même rebranché le système d'alarme, non ? Et nous aurions entendu des bruits de pas au-dessus de nous.

Il passa un bras réconfortant autour de ses épaules et joua avec une mèche de ses cheveux.

— Regardez les choses en face, ma chérie. Il n'y a *pas* d'explication naturelle à ce phénomène.

Quelle merveilleuse sensation de sécurité elle éprouvait et comme il était plus facile de croire Michaël que de douter de lui quand il la tenait ainsi. Instinctivement, elle posa la tête sur son épaule.

— Je suis désolée de vous avoir accusé, dit-elle. Parfois, il me semble, je... je ne réagis pas de façon très cohérente. Je veux dire : je passe la moitié de ma vie à étudier le paranormal et quand il me saute au visage, je refuse de le voir.

Puis elle ajouta pensivement :

— Quel dommage que nous n'ayons pas encore branché les caméras du hall !

Il rit doucement. Ses doigts câlins caressaient le cou de Leslie, faisant naître en elle un délicieux émoi.

— Vous savez, je ne trouve pas cela facile à admettre non plus. Je suis aussi sceptique que vous.

Sa main glissa le long du dos de la jeune femme jusqu'à sa taille où elle se posa légèrement comme s'il hésitait à l'y laisser mais ne pouvait se résoudre à la retirer. Scrutant son visage, il ajouta d'une voix tendue :

— Mais le problème est que si vous ne croyez en rien, Leslie, vous ne pouvez vous engager à rien...

Toute sa vie elle s'était trompée. En fait « croire » n'était pas une question de volonté comme elle le pensait, mais d'instinct. Et elle avait refusé trop longtemps de se fier à son instinct... Elle avança une main pour toucher sa joue. Leurs yeux se rencontrèrent et elle murmura :

— Je « crois » en vous, Michaël, avant de poser doucement ses lèvres sur les siennes.

L'instant d'après, dans les bras l'un de l'autre, ils s'embrassaient avec passion. Puis il enfouit sa bouche dans son cou.

— Leslie, balbutia-t-il d'une voix rauque. Ne me taquinez pas, je perdrais mon sang-froid.

— Je ne vous taquine pas, dit-elle dans un souffle en glissant ses doigts tremblants sous sa chemise. Je vous désire, depuis le début...

Il encadra son visage et l'éleva vers le sien. Ses yeux de miel reflétaient le même émerveillement

qu'elle sentait se déployer en elle en vagues cha-
toyantes... ces yeux tendres, ces yeux superbes, le
miroir de son âme, la première chose qu'elle ait
aimée en lui...

— Leslie, tu es sûre? je veux que tu sois sûre,
murmura-t-il encore.

Même à cet instant, il se refusait à la brusquer.
Même à cet instant il lui laissait la possibilité de
penser rationnellement parce qu'il savait combien
c'était important pour elle.

— Oui, répondit-elle.

Elle noua ses mains autour de son cou et l'attira
vers elle.

— Je suis sûre de ce que j'éprouve.

Michaël ferma un instant les paupières, emporté
par une magie plus puissante que celle qu'il eût
jamais connue ou imaginée. Il effleurait, il caressait,
il goûtait chaque parcelle du corps de Leslie et la
même magie l'entraînait elle aussi. Bientôt ils ne
furent plus qu'un. La maison des Eliott n'existait
plus, ils étaient une part de la galaxie, un météore
qui s'élançait à travers la nuit tiède suivi d'une gerbe
de lumière et retombait peu à peu en vagues
étincelantes.

— Je t'aime...

Qui donc avait murmuré ces mots? Elle ou lui?
Peut-être les deux ou peut-être ni l'un ni l'autre.
Peut-être les avaient-ils seulement pensés en même
temps...

Sur le canapé de la salle de jeu, Leslie sombra
doucement dans le sommeil, dans la chaleur des bras
de Michaël. Elle dormit un moment mais ne rêva

pas. Qu'avait-elle besoin de rêve après une réalité aussi magnifique ?

Quand elle se réveilla, elle ne fut pas surprise de percevoir la douceur d'un coussin sous sa joue. Elle ne se demanda pas où elle se trouvait ni pourquoi elle était là : tout était merveilleusement clair, délicieusement vibrant dans sa mémoire. Un sourire se dessina sur ses lèvres, à la fois heureux et amusé — ils avaient choisi un drôle d'endroit pour se donner l'un à l'autre — et sans ouvrir les yeux, elle tendit le bras pour toucher Michaël. Mais elle était seule sur le sofa. Elle s'assit et regarda autour d'elle.

La première chose qui la frappa fut la porte, en haut de l'escalier : *ouverte !*

Elle la fixa d'un air hébété et il lui sembla que les moments magiques qu'ils avaient partagés quelques heures plus tôt se dissolvaient sous ses yeux, se liquéfiaient pour se transformer en une horrible farce. Michaël, qui avait plus d'un tour dans son sac, qui aimait la prendre au dépourvu, lui dont le charme résidait en partie dans son habileté à créer des illusions... pourquoi l'avait-elle donc cru...

La gorge sèche, elle commença maladroitement à enfiler ses vêtements. Il apparut alors au sommet des marches. Son sourire la frappa au cœur et elle dut se détourner.

— C'est sacrément stupide, dit-il en descendant. Je n'ai même pas entendu la porte s'ouvrir. J'ai levé la tête et je l'ai vue ouverte, tout bonnement. Je n'arrive pas à imaginer comment c'est arrivé.

Elle serra les dents afin de retenir une réponse

cinglante. Qu'attendait-elle de lui, de toute manière ? Elle savait quel genre d'homme il était ! « Mais non, Michaël. Non ! Ne me mens pas. Pas maintenant. »

Avec des doigts tremblants et moites, elle tentait de boutonner son chemisier. Quand il posa une main légère sur son épaule, elle se recula brusquement.

— Leslie ? interrogea-t-il doucement. Qu'y a-t-il ?

— Rien.

Ou si peu ! Après tout elle était consentante.

Enfilant sa blouse dans son pantalon, elle se retourna vers lui, s'efforçant de paraître calme, un léger sourire forcé aux lèvres.

— Nous devrions partir. Il est tard et je n'ai pas encore dîné.

Il se tenait près d'elle, ses cheveux ébouriffés, sa chemise ouverte flottant sur les hanches, ses yeux encore pleins de sommeil.

— Allons au bateau, nous préparerons le repas et...

Elle fit appel à toute sa volonté pour s'écarter de lui juste au moment où il lui effleurait le bras.

— Non, merci, Michaël, déclara-t-elle poliment en saisissant son sac. Je passerai au supermarché en rentrant chez moi.

Il n'aurait pas été suffoqué davantage s'il avait reçu un coup en plein estomac. A quel épouvantable jeu jouait-elle donc ? Après ce qui venait de se passer entre eux, elle s'en allait froidement, comme si cela ne comptait pas ! Ah ! la colère commençait... Mais non, il la connaissait mieux que cela. Il savait que faire l'amour était aussi important pour elle

que pour lui. Seulement elle était effrayée et quand
la peur la gagnait, elle se tenait toujours sur la
défensive.

— Leslie, qu'est-ce qui ne va pas ? parle-moi, dit-
il très doucement.

« Oh non, Michaël, non... » Elle le regarda, si
tendre, si sincère, et ce qu'il avait fait, pourquoi il
l'avait fait, soudain ne comptaient plus. Même son
mensonge devenait sans importance. Elle ne souhaitait que passer sa main dans ses mèches blondes en
désordre, se presser contre sa poitrine et le serrer
dans ses bras.

— C'est sans importance, marmonna-t-elle, mal à
l'aise.

Puis elle se dirigea vers la porte.

L'instant suivant, à sa vive surprise, elle se
retrouva le poignet emprisonné dans une main de
fer, face à Michaël. L'éclair noir qu'elle découvrit
dans les yeux topaze, le pli de colère aux commis-
sures de ses lèvres, l'effrayèrent autant que son geste
brusque.

Quand il vit l'inquiétude se peindre sur son visage,
il desserra son étreinte et laissa retomber sa main.

— Dis-moi... tu me reproches quelque chose ?
interrogea-t-il.

— Oh ! pour l'amour du ciel ! explosa-t-elle. Et
ça !

Elle désigna la porte d'un mouvement un peu
raide tandis que des larmes lui picotaient les yeux.

— Pourquoi as-tu eu besoin de tout ça, toute
cette mise en scène, les histoires de poltergeists...
dans une maison inconnue ? C'était... oh, c'était...

Sa voix se brisa dans ce qu'elle espéra ne pas être un sanglot.

Il la regarda, à la fois incrédule et blessé.

— Tu penses, dit-il lentement, que j'ai arrangé tout cela, que je t'ai délibérément enfermée ici avec moi afin de faire de toi ma maîtresse ? Tu m'accordes bien peu de dignité !

Comme elle aurait voulu pouvoir rattraper ses paroles ! Elle se rendait compte de la bassesse de son accusation, mais trop tard. Les joues rouges de honte, elle se sentait de nouveau confuse et maladroite comme une adolescente.

— C'est moi qui manque de dignité pour avoir dit une chose pareille, murmura-t-elle d'une voix entre-coupée.

Il s'adossa au mur, les mains dans les poches, et la considéra.

— Je... je suis désolée, avoua-t-elle en se forçant à rencontrer les yeux topaze. C'était stupide de ma part de le penser. Je... je me montre probablement toujours trop...

— Méfiante, termina-t-il rapidement à sa place.

Elle acquiesça de la tête.

— Michaël, je n'avais pas l'intention... reprit-elle.

Elle s'apprêtait à ajouter « de tomber amoureuse de toi », mais quelque chose de circonspect, de lointain dans l'attitude du jeune homme l'arrêta.

— Tu crois encore que je t'ai dupée ? demanda-t-il.

Elle déglutit avec difficulté.

— En fait... c'est moi qui t'ai invité à m'accompagner. Je ne pensais pas que cela arriverait comme ça... mais je ne regrette pas ce qui s'est passé.

Le visage de Michaël s'adoucit et instantanément elle se sentit le cœur plus léger. Il lui prit les deux mains dans les siennes et les porta à ses lèvres. Il embrassa lentement chacun de ses doigts avant de les maintenir contre ses joues. Ses yeux topaze semblaient lourds de pensées.

— Tu sais, dit-il, ce qui est né entre nous ne sera pas facile à éteindre.

Elle hocha la tête.

— Accompagne-moi sur le bateau, suggéra-t-il doucement.

Si jamais elle le suivait, elle ne s'en irait plus, elle le savait bien.

— Il ne vaut mieux pas. J'ai rendez-vous à Washington demain soir, pour dîner avec mon père, et je voudrais dormir un peu cette nuit.

Elle caressa son visage en espérant qu'il comprendrait.

— J'ai besoin d'un peu de temps, Michaël, expliqua-t-elle simplement.

Des émotions complexes et fugaces traversèrent les prunelles claires sans qu'elle pût les décrypter. Il effleura à nouveau ses doigts de ses lèvres puis laissa retomber ses mains.

— Tout ce temps de réflexion ne t'aidera pas, Leslie, j'en ai peur, observa-t-il d'une voix triste.

Il avait probablement raison ! Toutefois, Leslie ne voyait pas comment elle aurait pu agir autrement.

Chapitre 12

Leslie passa toute la journée du lendemain à l'hôpital et Michaël ne chercha pas à la rencontrer. La laisser seule avec ses pensées était bien la dernière chose au monde qu'il souhaitait. Et de loin ! Mais elle ne se sentirait pas à l'aise avec lui, pas à l'aise dans leurs relations, tant qu'elle n'aurait pas réfléchi, probablement.

Il courait là un grand risque, il ne l'ignorait pas. Pendant un moment, la veille au soir, elle s'était ouverte complètement à lui, elle avait cru en lui, lui avait accordé sa confiance sans poser de question. Et le miracle s'était produit, elle s'était abandonnée à son instinct. Mais peu après, ses vieilles défenses étaient réapparues. Son esprit logique pourrait très bien l'amener à la seule conclusion logique possible et la pousser à sortir de sa vie pour toujours. Rien qu'à cette pensée, la sueur lui perlait au front.

Se frottant les yeux d'un geste las, il songea à rentrer chez lui. Leslie devait être à Washington à cette heure ; elle dînait avec son père. Depuis qu'elle avait passé la journée sur son bateau, le petit yacht lui semblait vide, son lit trop grand et tous ses vieux rêves de voyage en solitaire autour du monde lui apparaissaient creux. Non, il n'avait pas envie de retrouver l'« *Annabelle Lee* ». Il décida de travailler encore un peu.

Il saisit la dernière vidéocassette des jumeaux Gaynor. Il l'avait réalisée, celle-là, sous lumière infrarouge et si elle ne lui révélait rien, il ne saurait pas quoi tenter d'autre. Après tout, Leslie pouvait avoir vu juste ; ces deux enfants possédaient peut-être des pouvoirs paranormaux. Les miracles n'étaient pas totalement impossibles...

Comme Leslie s'y attendait, le restaurant choisi par son père était snob et feutré. Ce qui la surprit, par contre, ce fut de découvrir deux personnes à la table réservée par le docteur Roarke ; deux hommes qui se levèrent d'un même mouvement à son arrivée ; deux hommes au lieu d'un ! Son père, la soixantaine grisonnante, distingué, impeccablement habillé et un jeune homme blond, séduisant, bâti en athlète. Etait-ce possible ? Son père dans le rôle d'un entremetteur ? Elle se retint de murmurer un « oh ! » incrédule.

Elle avait accordé un soin tout particulier à sa toilette et choisi — afin d'impressionner son père, comme une petite fille — un ensemble sophistiqué en soie grège composé d'une veste-tunique sur un pantalon étroit. Elle avait relevé ses cheveux en un chignon bouclé sur le sommet de la tête et complété sa parure en fixant à ses oreilles des pendants garnis de saphirs assortis à son collier. Il lui avait semblé important de se sentir en beauté et élégante ce soir-là ; sa confiance en elle serait mise à rude épreuve, il convenait de l'étayer sur des bases solides...

Les yeux du docteur Amos Roarke glissèrent sur elle avec une expression de désapprobation évidente, s'arrêtant ostensiblement sur le pantalon qu'il lui avait demandé de ne pas revêtir. Quand elle s'avança vers lui afin de l'embrasser, il se tourna vers son invité.

— Leslie, dit-il en le désignant. Je te présente le Dr Jason Carr. Docteur Carr, voici ma fille, Leslie.

Habituée à ravaler la peine que lui causait si facilement son père, elle tendit la main au jeune homme en souriant. Au fond de ses yeux bleus, elle découvrit alors une lueur de sympathie.

— J'attendais ce moment avec impatience, dit-il gentiment.

Sa voix était grave et agréable à entendre, sa main chaude et ferme.

— Asseyons-nous, fit Amos Roarke avec impatience. Je dispose de peu de temps.

Elle aurait dû se sentir soulagée, l'épreuve serait moins longue qu'elle ne l'avait cru, et pourtant elle ne pouvait empêcher un léger désappointement de naître en elle.

— J'espérais que nous allions passer quelques heures ensemble. Il y a si longtemps que nous ne nous sommes pas vus ; nous avons des tas de choses à nous dire.

— Je doute qu'il se soit passé dans ta vie quelque chose susceptible de m'intéresser, répliqua son père avec brusquerie. Et tu peux trouver dans les revues médicales tout ce que tu veux savoir sur moi.

Déterminée à ne pas répondre, Leslie se mordit les lèvres. S'était-elle vraiment attendu à un accueil différent ?

De nouveau, elle remarqua un éclair de gentillesse dans le regard du Dr Carr et le sourire qu'il lui adressa était amical.

— J'ai commandé pour toi, Leslie, continuait l'éminent cardiologue en dépliant sa serviette. Il est inutile de perdre du temps. Je t'ai demandé de venir ici ce soir afin que tu rencontres Jason. C'est un psychiatre de renom — comme tu devrais le savoir si tu manifestais un tant soit peu d'intérêt pour ce qui se passe ailleurs que dans ton petit hôpital — et il a une proposition à te faire.

Le regard de la jeune femme alla de son père à Jason Carr. Elle haussa légèrement les sourcils et, pas entièrement sûre de plaisanter, suggéra :

— Une thérapie ?

Hochant négativement la tête, les yeux brillants, Jason rit doucement.

— Non, pas du tout. Et je suis désolé de m'imposer dans votre tête-à-tête avec votre père ; je déteste moi-même mêler le travail au plaisir. Mais je ne fais que passer à Washington et j'avais peur, si je ne vous rencontrais pas ce soir, de ne plus en avoir la chance.

— Jason met sur pied une clinique de désintoxication d'un type tout à fait nouveau à Detroit, intervint le docteur Roarke, balayant les politesses préliminaires pour entrer dans le vif du sujet. Son optique révolutionnaire mérite l'attention.

Elle était bien la seule à l'ignorer, le regard impatient le lui disait clairement.

— Il cherche actuellement à composer une équipe de psychiatres qu'il formera et qui travailleront selon ses propres méthodes. Apparemment, cela devrait t'intéresser.

Leslie ne savait pas ce qui l'étonnait le plus : que son père ait manifesté du souci pour sa vie professionnelle ou que le Dr Carr — célèbre de toute évidence — lui soumette une proposition. L'arrivée du serveur apportant le potage lui permit de réfléchir et de peser sa réponse.

— Ce n'est pas exactement mon domaine... observa-t-elle en s'adressant au jeune homme.

— Mais tu as effectué des stages dans un centre de traitement pour alcooliques et drogués, intervint son père.

Surprise qu'il se fût souvenu de ce détail, elle précisa à Jason :

— C'était il y a très longtemps.

— Cela ne fait rien, assura-t-il avec un sourire. Quelques antécédents dans ce domaine sont souhaitables, bien sûr, mais je cherche surtout des collègues qui ne soient pas englués dans des formes traditionnelles de thérapie. Mon programme est si différent de tout ce qui s'est fait jusqu'à présent que mon seul critère de choix repose sur l'ouverture d'esprit.

Ah ! C'était donc ça ! Ayant entendu le mot « ouverture d'esprit », son père avait immédiatement pensé à elle. Pour avoir pris la relève du « vieux fou », il lui en supposait une très large, évidemment ! Décidément, il était bien toujours le même, tâchant de pousser son mouton noir de fille dans une voie qu'il jugeait, lui, plus respectable et se souciant comme d'une guigne de son opinion. Elle était venue à ce rendez-vous bien déterminée à ne pas se laisser démonter. Une ligne de conduite plus difficile à tenir qu'elle ne l'avait supposé !

Elle eut une brève et intense pensée pour Michaël.

Puis, se saisissant de sa cuiller, elle s'adressa à Jason :

— Parlez-moi de votre programme.

Michaël examina les images deux fois, trois fois et la satisfaction peinte sur son visage se transforma en jubilation. Non, il ne s'était pas trompé. Il avait deviné juste depuis le début.

Il éteignit l'appareil de projection et en quelques mouvements rapides prépara l'expérience puis, debout près de la table, effectua les manipulations invisibles. Aussitôt, la latte de bois s'embrasa. Content de lui, il se recula, des lueurs jaune orangé dansant sur son visage. Il laissa le bois se consumer entièrement sur le plateau métallique.

Son sourire s'effaça peu à peu, pourtant. Il allait devoir prévenir Leslie. Et il n'était pas sûr que le moment fût bien choisi...

Mais, après tout, pourquoi l'informer cette nuit ? Cette nuit, il avait quelque chose de bien plus important à lui dire.

Leslie sourit quand le brandy s'enflamma au contact de l'allumette, projetant des lueurs dan-

santes jaune orangé sur son visage et celui de Jason.
Son père n'était pas resté pour déguster le dessert en
leur compagnie — son éminente présence était
requise au congrès de chirurgie cardiaque — et
c'était aussi bien. Par sa personnalité envahissante, il
était déjà parvenu à gâcher le repas.

En fait, elle n'était pas surprise. A chacune de
leurs rencontres, il ne manquait jamais de lui
rappeler combien il la trouvait sotte. Ce soir, il
n'avait pas failli à la règle.

Ayant aperçu une ombre légère dans ses yeux,
Jason lui prit doucement la main.

— Ne jugez pas votre père trop durement, dit-il.
Il est rempli de bonnes intentions. Il les exprime
seulement très maladroitement.

« Il s'intéresse à la famille » pensa Leslie, et elle
esquissa un sourire en retirant sa main. Quel homme
agréable que ce Dr Carr. Si elle l'avait rencontré
deux mois plus tôt...

— Oui, de bonnes intentions, acquiesça-t-elle.

Son sourire devint un peu forcé et amer quand elle
ajouta :

— En fait, il ne souhaite qu'une chose : que je
quitte le Maryland pour m'intégrer dans une institu-
tion tout à fait respectable dont il n'aurait pas honte.
La vôtre, en l'occurrence. Mais, Jason...

Une fois encore, il évita adroitement d'entendre
son refus.

— Je pense que votre travail actuel est fascinant,
dit-il. J'aimerais que vous me l'expliquiez.

Et ainsi, pendant qu'ils savouraient leurs poires

flambées, elle lui parla avec enthousiasme de son activité au Centre, des possibilités évoquées par chaque cas, de tout ce qu'elle avait pu apprendre sur le fonctionnement du cerveau humain grâce aux recherches peu orthodoxes de la fondation. Elle évoqua aussi Tony et ses autres patients de l'hôpital. Quand, un peu plus tard il suggéra une promenade dans la ville, elle accepta volontiers.

Elle avait décidé de passer la nuit à Washington, sachant que deux heures de conduite après son entrevue avec son père constitueraient une épreuve au-dessus de ses forces et espérant que, peut-être, une soirée dans une chambre impersonnelle l'aiderait à y voir plus clair en elle.

Leur sortie se termina devant son hôtel. Ils avaient ri et bavardé comme de vieux amis et le temps avait passé très vite. Jason lui avait plu dès l'abord ; elle se sentait à l'aise avec lui, si rassurant, si avisé, et le travail qu'il lui offrait lui conviendrait à merveille, elle n'en doutait pas. Alors... pourquoi ne saisissait-elle pas cette chance ? Que lui manquait-il ?

Jason se pencha vers elle avec un sourire.

— Bon, je sais que vous avez voulu repousser mon offre à plusieurs reprises. Si je ne vous en ai pas laissé la possibilité, c'est que je garde l'espoir de parvenir à vous convaincre. Vous changerez peut-être d'avis, non ?

— Non, je ne crois pas.

« Pour l'amour du ciel, pourquoi non ? C'est une proposition exceptionnelle, tu ne le vois pas, lui murmurait une petite voix raisonnable et indignée. Tu serais folle de l'écarter. »

Hochant doucement la tête, elle ajouta :

— C'est assez difficile à expliquer, Jason. A vrai dire, je ne considère pas ce que je fais actuellement au Centre comme un simple métier. C'est beaucoup plus que cela. J'aime me frotter à l'inconnu, me mesurer à l'impossible. J'éprouve la sensation grisante d'être en quelque sorte une pionnière. Oh, bien sûr, je suis moins « utile » que si je travaillais avec vous, mais... Non...

— Si je comprends bien, vous m'envoyez promener, au moins professionnellement. Mais... personnellement ? J'aurais beaucoup de plaisir à vous revoir, Leslie.

« Leslie ne sois pas stupide ! Il est parfait pour toi ; exactement l'homme dont tu as besoin. Il t'aidera à conserver les pieds sur terre. Il ne garde pas de secrets enfermés dans un coffre, lui ; il n'a rien à cacher, lui. Et puis, il est séduisant, charmant, facile à comprendre, facile à aimer. Il te rendra heureuse. Que demandes-tu de plus ? »

Elle lui sourit d'un air un peu triste. Les mots s'échappèrent de sa bouche presque malgré elle :

— Je suis désolée, Jason... ce ne sera pas possible.

Il la regarda un moment avant de se pencher pour lui effleurer les lèvres.

— Et si je maintenais mes deux propositions ?

— Bonne nuit, Jason, dit Leslie gentiment en se dirigeant vers la porte de l'hôtel.

Elle comprit alors ce qui lui manquait : la magie !

Lorsqu'elle introduisit sa clef dans la serrure, tout en elle lui cria de boucler immédiatement sa valise, de se précipiter dans sa voiture afin de rejoindre Michaël. Elle pourrait se blottir contre lui avant minuit. Aimer, au fond, c'était tout simple ; c'était se laisser guider par son instinct. Il avait tenté de le lui apprendre et elle avait jusque-là refusé de le croire. Mais maintenant, elle savait.

Elle fit un pas dans la pièce et alluma l'électricité. Alors, elle demeura stupéfaite. Sur chacune des deux tables de chevet, sur le guéridon, sur la commode étaient posés de magnifiques bouquets de roses jaunes.

— Michaël, murmura-t-elle.

Quittant l'ombre, derrière la porte, il se présenta devant elle, son beau visage empreint d'incertitude, une interrogation dans les yeux topaze. Elle sentit l'amour déferler en elle comme une vague rien qu'à le regarder.

— Oui ? demanda-t-il doucement.

— Oh, Michaël ! fit-elle en se jetant dans ses bras.

Ils reposaient enlacés sur le grand lit. La pâle lumière de la rue entrait par la fenêtre aux volets mi-clos ; le parfum des roses baignait toute la chambre. La main de Leslie glissa lentement sur la poitrine du jeune homme, sur ses hanches. Elle ne se lassait pas de caresser sa peau nue et lisse, ses muscles fermes. Il lui paraissait merveilleusement beau, même dans la pénombre.

— Tu es un peu fou, tu sais, dit-elle d'une voix enrouée. Toutes ces roses !

— Je ne recule devant aucun sacrifice pour faire progresser ma cause, répondit-il en promenant un doigt sur son cou.

Se soulevant légèrement, elle déposa un baiser sur sa joue piquetée de barbe.

— Ta cause est déjà gagnée, affirma-t-elle avant de reposer la tête sur l'oreiller, contre la sienne.

Quand il lui effleura la tempe, elle sentit qu'il souriait.

— Tu vois, en te montrant si... obstiné, si impossible, si frustrant, tu m'as forcée à découvrir ce que je voulais réellement : un miracle, poursuivit-elle. Tu m'as apporté tout ce que je souhaitais depuis toujours sans le savoir.

Il la serra contre lui et l'embrassa avec passion. Puis, encadrant doucement son visage de ses mains, il plongea son regard dans le sien et demanda doucement :

— Est-ce suffisant ?

D'un doigt léger, le sourire aux lèvres, elle taquina ses sourcils, son nez, s'attarda sur sa bouche.

— Mon père s'est donné la peine de chercher un travail pour moi, dit-elle. Un emploi extraordinaire dans une clinique très respectable de Detroit, avec l'un des plus brillants jeunes psychiatres de tous les Etats-Unis.

Elle le sentit hésiter, ses doigts comme paralysés sur ses épaules.

— Et ?

— Et...

Elle effleura ses lèvres avant d'ajouter :

— ... j'ai écarté sa proposition sans même lui accorder une pensée. Je suis comblée avec ce que j'ai...

Il l'étreignit fougueusement en gémissant.

— Se pourrait-il que tu laisses tes émotions influencer ton jugement ?

— C'est exactement ce que je suis en train de faire, murmura-t-elle. Et c'est...

Elle retint son souffle, fermant les yeux de plaisir tandis que ses mains de magicien se posaient sur ses seins.

— ... merveilleux.

Chapitre 13

Les voix des journalistes présentant les premières informations télévisées de la journée éveillèrent Leslie, le lendemain. C'était une sensation désagréable et en gémissant, elle enfouit sa tête sous l'oreiller. Elle sentit alors un baiser dans son cou et les cheveux de Michaël effleurer ses épaules nues.

— Je n'ai qu'une mauvaise habitude, murmura-t-il. Autant t'en informer tout de suite : je suis quelqu'un de très matinal.

— Je sais, marmonna-t-elle en souriant dans les couvertures. Ta forme était extraordinaire vers quatre heures, je m'en souviens très bien.

— Vraiment ?

Il joua avec une mèche de ses cheveux puis, tendrement, la força à se retourner vers lui.

— Mais moi, non. Je ne suis pas du matin.

L'instant d'après, il s'assit sur le bord du lit et lui tendit une tasse de café.

— Pour me faire pardonner, dit-il gentiment.

— Hum... tes qualités compensent largement tes défauts, après tout, lança-t-elle en riant.

Dans le mouvement qu'elle fit pour s'asseoir, le drap retomba, dénudant sa poitrine. Aussitôt la main de Michaël s'y posa, effleurant lentement ses seins, les caressant en un geste devenu déjà terriblement familier.

Il avait revêtu son jean mais ne portait pas de chemise et la tentation était grande pour Leslie de laisser courir sa paume sur les muscles de son torse. Elle souhaitait refermer les yeux et dans un demi-sommeil faire l'amour avec lui. Et en même temps, elle aspirait à boire son café en sa compagnie, à partager simplement avec lui le bonheur d'être ensemble dans la chaude lumière d'une matinée d'été. Merveilleuse alternative !

— Nous passons la journée en ville ? proposa-t-il.

Comme elle aurait aimé rester encore au moins quelques heures dans cette chambre !

— Hélas, il nous faut repartir, observa-t-elle sans enthousiasme. J'ai des rendez-vous aujourd'hui. Le travail nous attend tous les deux.

— Consciencieuse jusqu'au bout des ongles, docteur Roarke, plaisanta-t-il.

Il déposa un baiser sur ses lèvres avant de se diriger vers la salle de bains. Comme elle se demandait s'ils allaient regagner le Maryland dans la même voiture, elle interrogea :

— Comment es-tu venu, hier soir ?

— Sur un manche à balai, naturellement, confia-t-il avec un clin d'œil.

Elle eut un petit rire et dégusta son breuvage parfumé en regardant autour d'elle. La pièce ressemblait à un jardin enchanté avec toutes ces roses.

Quand elle entendit le bruit de la douche, elle pensa un instant se lever afin de rejoindre Michaël. Et puis, changeant d'avis, elle s'allongea et referma les paupières. Ce qu'elle désirait vraiment était l'attendre là. Il allait revenir... et ils s'appartiendraient dans cette atmosphère paradisiaque.

Pourtant l'image de son corps lisse où ruisselaient les gouttes d'eau tiède hanta bientôt son esprit. Elle rêvait de le toucher... tout de suite. Soudain, elle ne pouvait plus attendre ! D'un mouvement brusque, elle rejeta les couvertures et saisit son peignoir.

C'est alors que quelque chose sur l'écran de T.V. retint son attention.

— ... Kevin et Karen Gaynor qui ont accusé un grand émoi dans le monde scientifique par la démonstration de ce qu'il faut bien considérer comme des pouvoirs psychiques extraordinaires...

Stupéfaite, Leslie vit les deux enfants assis dans le studio de l'une des chaînes nationales, leurs visages souriants et détendus tournés vers la journaliste.

— Parlez-nous un peu de vous. Si j'ai bien compris, il existe entre vous une sorte de lien...

— C'est ça, répondit Kevin. Nous ne réussissons rien l'un sans l'autre...

— Michaël ! cria Leslie.

Déjà, il se tenait sur le seuil de la salle de bains, une serviette blanche nouée autour de la taille. Son visage était pâle et crispé.

— ... Vous avez fait l'objet d'investigations intensives au...

La présentatrice consulta ses notes avant d'ajouter :

— ... Centre d'Etude des Phénomènes Paranormaux. Une fondation privée du Maryland, je crois. Qu'ont-ils...

— Qui diable a pu autoriser ça ? demanda Michaël d'une voix dure.

— Je... Je n'en sais rien, répliqua faiblement Leslie, les yeux rivés à l'écran. Personne, je suppose. D'ailleurs, personne n'était habilité à prendre cette décision sans mon accord.

Tout de même, n'aurait-elle pas dû prévoir ? Depuis le jour où Karen avait semblé si désireuse de « tirer un profit » de leurs dons, elle aurait dû savoir qu'ils ne garderaient pas longtemps leurs secrets pour eux-mêmes.

— J'espère que vous voudrez bien nous montrer... disait la voix de la journaliste.

Michaël éteignit vivement le téléviseur. Un moment, il marcha nerveusement de long en large dans la chambre tandis que Leslie demeurait stupéfaite.

— Quand nous parviendrons au Centre, les reporters auront déjà envahi les lieux, observa-t-il pensivement.

Il passa impatiemment la main dans ses cheveux humides et marmonna un juron.

— Je vais appeler Winston, décida-t-elle. Mais il n'en sait probablement pas plus que nous.

— Comment une chose pareille a-t-elle pu se produire ? demanda Michaël, plus pour lui-même que pour Leslie. Les médias vont épiloguer là-dessus pendant au moins un mois et quand ils découvriront la subvention...

— Ce n'est peut-être pas si terrible, fit-elle, tentant de se rassurer.

Naturellement, elle détestait être prise par surprise, surtout de cette manière, mais après tout...

— Je veux dire, reprit-elle en commençant à composer le numéro, ce sera l'occasion pour le Centre de s'ouvrir au public, de lui dévoiler, ainsi qu'à la communauté scientifique, ses buts et ses méthodes d'investigation. Les jumeaux Gaynor représentent le cas le plus intéressant qu'on ait jamais étudié. Evidemment, j'aurais préféré...

Ayant jeté un coup d'œil à Michaël, elle interrompit net sa phrase. Son visage paraissait sinistre, ses yeux assombris pleins d'agitation et de regret. Elle se sentit glacée jusqu'aux os.

— Tu as trouvé quelque chose, n'est-ce pas ? balbutia-t-elle.

Il demeura immobile un long moment puis, finalement, il acquiesça d'un signe de tête.

— Pas d'erreur possible, dit-il d'une voix calme. Ils utilisent un dispositif d'allumage sensible à la lumière, d'ailleurs facile à se procurer dans n'importe quelle quincaillerie. Et quant à la technique, on la trouve expliquée dans tous les manuels de physique. C'était si simple que je n'y avais pas pensé d'abord.

Le combiné tomba des mains de la jeune femme. Sa conscience semblait s'être dissoute dans un épais brouillard duquel émergeait seul le visage de Michaël, indéchiffrable.

Puis, brusquement, la brume se dissipa et toutes les implications lui apparurent en même temps. Elle s'était trompée ; elle avait cru trouver des sujets exceptionnels et ils l'avaient dupée. Elle avait commis une erreur en ne se montrant ni assez prudente ni suffisamment consciencieuse.

Seigneur, le scandale ! Qu'allait-il advenir du Centre à présent ? Trente ans de travail méthodique, de recherches menées dans le plus pur esprit scientifique lui avaient valu une réputation sans tache, mais maintenant ? Et sa carrière personnelle ? Pourrait elle encore espérer une carrière personnelle après cela ? Elle allait devenir la risée de tout le corps médical, comme son père l'avait toujours prédit d'ailleurs. Comment avait-elle pu se tromper à ce point ? La réponse était simple, stupidement simple : elle avait *voulu* croire aux dons des jumeaux et elle avait laissé ses sentiments influencer son jugement.

— Tu le savais, fit-elle d'une voix faible en dévisageant Michaël. Tu le savais depuis le début.

— Je te l'ai dit...

— Mais tu ne m'as rien expliqué...

Les doigts tremblants, elle noua la ceinture de son peignoir.

— Tu n'as rien expliqué à personne à cause de ta satanée éthique et tous tes mystères. Tu nous as laissés dans le noir le plus complet.

— Il me fallait rassembler des preuves avant de parler, objecta-t-il d'une voix calme.

Trop calme !

— Bon sang, j'étais leur *conseiller*. Si tu m'avais donné des indications sur la manière dont ils s'y prenaient, je me serais rangée à tes côtés et rien de tout cela ne serait arrivé.

Le visage empourpré, les yeux flamboyants, elle poursuivit :

— Tu aurais dû m'en parler ! Tu t'es montré si secret, si évasif que personne n'a su s'il devait te prendre au sérieux.

— Il fallait me croire.

La confiance ! Voilà bien le maître mot de toute l'affaire. Si elle s'était fiée à lui... et lui, s'il avait eu suffisamment confiance pour partager avec elle ses théories...

Poussant un profond soupir, Michaël passa une main lasse dans ses cheveux.

— J'aurais peut-être dû te donner des détails, en effet, reprit-il. Mais, de toute manière, discuter de cela ne sert plus à rien maintenant. On ne revient pas en arrière, n'est-ce pas ?

— Qu'allons-nous faire ? interrogea Leslie en lui lançant un regard hésitant.

Elle vit ses traits s'altérer, la souffrance passer dans les yeux topaze.

— Je n'ai pas le choix : je dois dire la vérité.

Et cette vérité allait détruire la femme qu'il aimait, il le savait. Leslie, si vulnérable, si fragile, Leslie qui ne supportait pas l'idée de se tromper avait commis la plus grave erreur de sa vie et il ne pouvait lui être d'aucun secours.

Un frisson la parcourut tout entière et elle dut croiser les bras sur sa poitrine pour s'empêcher de trembler.

— J'aurais dû savoir, murmura-t-elle faiblement.

Ils étaient mes patients... Comment ai-je pu m'aveugler à ce point ?

Le chagrin assombrissait les prunelles bleues et Michaël devina exactement ce qu'elle pensait. Elle avait fait fausse route à propos des jumeaux Gaynor, ne s'était-elle pas fourvoyée aussi dans un autre domaine ?

Il mourait d'envie de la prendre dans ses bras, de la réconforter, de lui promettre que tout irait bien. Au prix d'un violent effort de volonté, il parvint à demeurer immobile. Quel soutien avait-il à lui offrir ? Quelle certitude possédait-il quant à l'avenir ? Aucune. A vrai dire, il craignait même que tout aille de mal en pis.

Après un long silence, en évitant son regard, il proposa d'une voix tendue :

— Nous devrions partir. Un dur combat nous attend.

— Oui, répondit-elle tristement.

Les deux semaines qui suivirent se transformèrent en véritable cauchemar. Naturellement, la première initiative du Centre fut de publier un démenti formel à toutes les affirmations de Karen et Kevin Gaynor. Mais il eût été naïvement optimiste de croire que toute l'affaire s'arrêterait là. Les jumeaux contre-attaquèrent avec acharnement, objectant que de minutieuses investigations avaient prouvé leurs pouvoirs. Michaël fit un communiqué à la presse. Non seulement les Gaynor le réfutèrent, mais ils entamèrent des poursuites judiciaires — pour diffamation — contre le jeune homme et contre le Centre.

Le gouvernement retira discrètement ses fonds et nia avoir jamais entendu parler de la fondation. Effrayée par la publicité, la moitié du personnel démissionna. Karen et Kevin participèrent à des émissions de T.V. ; Leslie cessa d'ouvrir son récepteur.

Elle donna des interviews afin de tenter de préserver la probité du Centre. Dans les journaux, les articles commençaient toujours par : « Le Dr Leslie Roarke, fille de l'éminent cardiologue Amos Roarke et de Margaret Douglas, directrice des recherches... » Toutefois, aucun de ses parents ne prit la peine de lui téléphoner pour lui offrir son aide.

Malgré tout, elle n'en voulait pas à Michaël ; il n'avait fait que son devoir et d'ailleurs, il s'efforçait par tous les moyens de dégager la responsabilité du Centre. Elle seule, en fait, était à blâmer ; elle seule portait la responsabilité de toute l'affaire. A quoi cela lui avait-il servi de dresser le portrait psychologique des jumeaux, de noter dans leur dossier : personnalités instables, interdépendance exagérée, manque de confiance et besoin d'être rassurés, intelligence, ruse, tendances à la fausseté, au mensonge ? En d'autres circonstances, elle se serait montrée très, très prudente. Mais, pour la première fois de sa vie, elle avait laissé intervenir sa subjectivité sans en avoir conscience et les conséquences s'étaient avérées funestes.

Au début de la troisième semaine, enfin, d'autres sujets d'actualité éclipsèrent celui-ci et Karen et Kevin firent l'apprentissage de la versatilité du public. Plus personne ne s'intéressa à eux. Ils renoncèrent bientôt à leur action en justice et Leslie put enfin pousser un soupir de soulagement.

Son père choisit ce moment pour lui téléphoner. Comme à l'accoutumée, il ne s'embarrassa pas de préliminaires.

— Je t'avais prévenue, n'est-ce pas ? Tu devais bien t'attendre à ce que ce genre de chose se produise un jour ou l'autre.

Il ajouta avec plus de gentillesse :

— Mais enfin, tout ce que j'ai à dire maintenant est que cette histoire est survenue au bon moment ; tu es suffisamment jeune encore pour surmonter l'épreuve et repartir d'un bon pied.

— Je suis désolée de t'avoir déçu, répondit-elle, singulièrement touchée par le ton et les paroles de son père.

Il y eut un silence pendant lequel le Dr Amos Roarke et sa fille semblèrent plus proches l'un de l'autre qu'ils ne l'avaient jamais été.

— Déçu ? Ne sois pas stupide, bougonna-t-il. Tu es une jeune femme brillante, Leslie, je l'ai toujours su, et pour être tout à fait franc, je trouve que tu as manifesté beaucoup de sang-froid dans cette affaire. Maintenant, tu n'as plus qu'à tourner la page et l'oublier. As-tu appelé Jason ?

Jason ? Le nom ne rappelait rien à Leslie. Puis elle se souvint.

— Oh, tu veux dire, le Dr Carr ?

— Evidemment. Commencer une nouvelle carrière serait formidable pour toi. Finalement, les choses ne se présentent pas si mal, non ?

Leslie hocha la tête.

— Parce que tu imagines qu'il veut encore de moi après la monumentale erreur...

— D'abord, répliqua son père d'un ton brusque, tu prends tout trop à cœur. Beaucoup trop. Ensuite, tu as commis une faute, oui, et alors ? Ce n'est pas la première et ce ne sera pas la dernière.

Il eut un rire un peu bourru puis poursuivit :

— Sapristi, tu crois être la seule à qui cela arrive ? Et la pénicilline, qu'était-ce sinon une erreur, un accident pur et simple ? Et laisse-moi te dire une chose, jeune femme, se tromper de temps à autre s'avère plutôt profitable : cela nous évite de devenir présomptueux, cela nous apprend à ne pas perdre notre temps, notre vie, en fait, à rechercher la perfection. Elle n'existe pas.

Après sa conversation avec son père — la plus longue et la plus constructive qu'elle ait jamais entretenue avec lui — Leslie commença petit à petit à considérer sa situation sous un jour nouveau.

Il avait peut-être raison après tout : le moment était parfaitement choisi pour changer d'existence. D'ailleurs, le Centre fermerait sans doute ses portes pour un temps, faute de crédits. Certes, il lui serait très dur de quitter ses patients de l'hôpital et tous ses collègues qui l'avaient sincèrement soutenue durant les semaines passées. Mais elle trouverait d'autres satisfactions à Detroit et un travail tout aussi intéressant. Elle songea de plus en plus sérieusement à contacter Jason. Seulement, elle ne put jamais se résoudre à le faire.

Elle comprit soudain qu'elle attendait un appel de

Michaël. Elle aurait pu chercher elle-même à le rencontrer mais elle ne savait pas quoi lui dire. Il lui avait demandé de l'accepter tel qu'il était, sans poser de questions, mais bouleversée, brisée par les événements comme elle l'avait été, elle ne se sentait pas sûre de pouvoir s'engager à quoi que ce fût.

Et puis, brusquement, un fait survint et la certitude l'aveugla.

Depuis la découverte de Michaël, l'état de Tony s'était considérablement amélioré. Bien entendu, il était encore incapable de parler de façon normale, toutefois, l'équipe des thérapeutes avait appris à communiquer avec lui en écoutant à vitesse réduite les enregistrements de ses propos. Son comportement s'était modifié, il était devenu beaucoup plus calme et plus attentif. Il délaissait peu à peu son propre univers pour s'intégrer au monde qui l'entourait.

Un après-midi, le petit garçon accueillit Leslie avec un babillage enthousiaste. Afin de lui répondre, elle fit aussitôt reculer la bande magnétique et la voix de l'enfant s'éleva :

— Michaël veut vous dire au revoir. Vous lui manquez. Il va naviguer vers les Iles Vierges et il aimerait bien que vous l'accompagniez.

Le souffle coupé, Leslie crut défaillir tant était vive son émotion. Non, ce n'était pas possible. Elle avait certainement mal compris.

— Que dis-tu, Tony ? Tu veux bien répéter plus doucement ? demanda-t-elle.

Il s'exécuta de bonne grâce et répéta mot pour

mot son discours. Leslie l'écouta le cœur battant à se rompre.

— Quand as-tu vu Michaël ?

A peine si elle pouvait patienter jusqu'à la fin du babillage de Tony pour faire reculer la bande. Cependant, il ne répondit pas à sa question. Il se borna à redire :

— Michaël veut vous dire au revoir. Vous lui manquez. Il va...

Elle attendit que sa voix se taise pour l'interroger à nouveau :

— Quand, Tony ? Quand Michaël doit-il partir ?

Il s'efforça visiblement de parler plus distinctement, plus précautionneusement.

Vite, elle enclencha la touche de marche arrière puis entendit :

— Aujourd'hui. Au revoir pour toujours.

Aujourd'hui ! Il allait partir sans un mot !

Mais pourquoi lui aurait-il dit quelque chose ? Ils s'étaient séparés ce matin-là, dans la chambre d'hôtel remplie du parfum des roses et de l'écho du désastre. Elle ne s'était pas inquiétée de lui, de ses sentiments ; elle n'avait pensé qu'à elle, égoïstement. Elle ne lui avait pas demandé de rester. Et durant tous ces horribles jours, elle n'avait pas cherché à le joindre. Et si jamais il était trop tard ? Si jamais il était déjà parti ?

Au revoir pour toujours...

Le soleil d'août lui brûla la peau quand elle quitta sa voiture et courut le long de la jetée. Trop tard.

Elle savait qu'il était trop tard. Pourquoi avait-elle tant attendu?

Lorsqu'elle vit la coque brillante de l'*Annabelle Lee*, si facilement reconnaissable, elle crut recevoir un choc en plein cœur. Tentant de reprendre haleine, elle ralentit sa course.

Vêtu d'un jean et d'une chemise ouverte sur sa poitrine bronzée, le dos à demi tourné vers elle, il arrangeait quelque chose sur le pont. Un instant, elle le contempla. « Oh, Michaël, ne me repousse pas... »

Puis, rassemblant tout son courage, elle l'interpella:

— Est-il permis de monter à bord, monsieur?

Michaël sursauta légèrement avant de se retourner. Pétrifié, incrédule, il la considéra un long moment.

— Leslie! balbutia-t-il dans un souffle.

Sans attendre sa permission, elle sauta sur le pont. Une seconde trop tard, il tendit la main pour l'aider puis, voyant la jeune femme debout devant lui, la laissa retomber gauchement.

Il la regardait encore comme s'il n'en croyait pas ses yeux.

— Je n'espérais pas te revoir, dit-il enfin.

Serrant fortement ses mains l'une contre l'autre afin de les empêcher de trembler, elle avoua:

— J'ai réfléchi et j'ai découvert quelque chose de très intéressant. J'ai pensé que tu aimerais savoir de quoi il s'agit.

La brise jouait dans les cheveux blonds de

Michaël. Ses prunelles topaze révélaient son anxiété mais son visage demeurait indéchiffrable.

— Oui ?

Elle prit une profonde inspiration.

— Je ne m'engage pas souvent mais quand je le fais... c'est pour toujours, dit-elle.

L'espoir naissait dans le regard de miel, elle poursuivit alors d'une traite :

— Je t'aime, Michaël. Je t'aime et je ne peux pas supporter l'idée de te laisser partir...

Ses derniers mots moururent sur la poitrine du jeune homme tant il la serrait fougueusement contre lui.

— Leslie, murmura-t-il dans un souffle. Je savais que si je ne m'en allais pas, je ne pourrais plus rester loin de toi. Mais je ne voulais pas te brusquer après la terrible épreuve que tu as vécue. Je t'aime, moi aussi. Je veux passer le reste de ma vie à te prouver combien je t'aime. Ce ne sera peut-être pas toujours facile pour nous deux, tu ne me comprendras peut-être pas toujours, mais je peux te jurer une chose : je ne cesserai jamais de t'aimer.

Leurs corps soudés l'un à l'autre, leurs âmes, leurs esprits confondus, ils s'embrassèrent longuement dans la chaude lumière de l'été avant de se séparer à regret, émerveillés. Leslie avança ses mains pour entourer le visage de Michaël, les yeux brillants.

— Et maintenant, monsieur Bradshaw, si nous parlions un peu de ce voyage. Accepteriez-vous de prendre un passager ?

Il feignit de réfléchir, la tête légèrement penchée sur le côté.

— Je suis désolé mais je n'ai de place que pour une jeune psychiatre pour qui une période de repos est absolument nécessaire.

— Oh, quelle coïncidence ! Il se trouve que je connais justement cette personne.

— L'aménagement du bateau est succinct, prévint-il. Elle devra partager son lit.

— Je l'espère bien, affirma-t-elle en se pressant contre lui.

— Seigneur, Leslie, dit-il, les lèvres dans ses cheveux. Je vais croire que les Parques de la mythologie se sont réellement intéressées à notre destin. Si tu étais arrivée une heure plus tard, tu m'aurais manqué.

— Si Tony ne m'avait rien dit, je ne serais même pas venue. J'avais besoin de ce choc, je pense, pour voir clair en moi.

— Tony ? interrogea-t-il, surpris. Comment le savait-il ?

— Mais...

Leslie le regarda avec curiosité.

— ... tu lui as fait part de tes projets.

Une expression étrange passa sur le visage de Michaël.

— Je n'ai pas parlé à Tony, Leslie assura-t-il. Je ne l'ai pas revu depuis ce jour-là, à l'hôpital.

— Alors... comment a-t-il... ? commença Leslie.

Aucune réponse n'existait à cette question, ils le savaient l'un et l'autre.

— Je pense, docteur Roarke, fit-il avec un petit rire heureux, que nous avons encore des tas de choses à apprendre.

concours *Harlequin*

Preuve d'achat

Vous pourriez partir pour le sud et vivre une aventure inoubliable sur les plages de la mer des Caraïbes.

Participez au concours "Ivresse Exotique" et courez la chance de gagner un voyage d'une semaine pour deux personnes avec l'Agence de Voyage Viau, hébergement et transport inclus, à Cartagène en Colombie, la toute nouvelle destination à la mode…là où l'exotisme est ivresse et le charme, mystère.

Aussi, vous pourriez gagner l'un des 150 parfums à bille *Ivresse*…une fragrance envoûtante, une sensation de fraîcheur sensuelle qui séduit en douceur, le jour comme la nuit…

Date limite du concours: 15 mai 1987 à minuit. Tirage: 18 mai 1987 à midi.

Pour participer: 1. Remplir le bon de participation ci-dessous. **2.** Joindre 3 preuves d'achat Harlequin authentiques ou reproduites non mécaniquement. **3.** Envoyer le bon de participation et les preuves d'achat dans une enveloppe suffisamment affranchie à: **Concours "Ivresse Exotique"**, B.P. 710, Succursale **"H", Montréal, QC H3H 2M6.**

Bon de participation:

Nom_____

Adresse_____

Ville_____ Province_____

Code postal_____ Téléphone_____

Règlements du concours disponibles:
Natcom. 1420, rue Sherbrooke ouest, Montréal (Québec) H3G 1K5   BPA - FR SWEEP 1

Achevé d'imprimer en décembre 1986
sur les presses de l'Imprimerie Bussière
à Saint-Amand-Montrond (Cher)

— N° d'imprimeur : 2745. —
— N° d'éditeur ; 1430. —
Dépôt légal : janvier 1987.

Imprimé en France